LA FIN
DES HARICOTS

DU MÊME AUTEUR

Dans la même collection :

T'es beau, tu sais!
Ça ne s'invente pas.
J'ai essayé : on peut!
Un os dans la noce.
Les prédictions de Nostrabérus.
Mets ton doigt où j'ai mon doigt.
Si, signore.
Maman, les petits bateaux.
La vie privée de Walter Klozett.
Dis bonjour à la dame.
Certaines l'aiment chauve.
Concerto pour porte-jarretelles.
Sucette boulevard.
Remets ton slip, gondolier.
Chérie, passe-moi tes microbes!
Une banane dans l'oreille.
Hue, dada!
Vol au-dessus d'un lit de cocu.
Si ma tante en avait.
Fais-moi des choses.
Viens avec ton cierge.
Mon culte sur la commode.
Tire-m'en deux, c'est pour offrir.
A prendre ou à lécher.
Baise-ball à La Baule.
Meurs pas, on a du monde.
Tarte à la crème story.
On liquide et on s'en va.
Champagne pour tout le monde!
Réglez-lui son compte!
La pute enchantée.
Bouge ton pied que je voie la mer.
L'année de la moule.
Du bois dont on fait les pipes.
Va donc m'attendre chez Plumeau.
Morpions Circus.
Remouille-moi la compresse.
Si maman me voyait!
Des gonzesses comme s'il en pleuvait.
Les deux oreilles et la queue.
Pleins feux sur le tutu.
Laissez pousser les asperges.
Poison d'Avril, ou la vie sexuelle de Lili Pute.
Bacchanale chez la mère Tatzi.
Dégustez, gourmandes!

Plein les moustaches.
Après vous s'il en reste, Monsieur le Président.
Chauds, les lapins!
Alice au pays des merguez.
Fais pas dans le porno...
La fête des paires.
Le casse de l'oncle Tom.
Bons baisers où tu sais.
Le trouillomètre à zéro.
Circulez! Y a rien à voir.
Galantine de volaille pour dames frivoles.
Les morues se dessalent.
Ça baigne dans le béton.
Baisse la pression, tu me les gonfles!
Renifle, c'est de la vraie.
Le cri du morpion.
Papa, achète-moi une pute.
Ma cavale au Canada.

Hors série :

L'Histoire de France.
Le standinge.
Béru et ces dames.
Les vacances de Bérurier.
Béru-Béru.
La sexualité.
Les Con.
Les mots en épingle de San-Antonio.
Si « Queue-d'âne » m'était conté.
Les confessions de l'Ange noir.
Y a-t-il un Français dans la salle ?
Les clés du pouvoir sont dans la boîte à gants.
Les aventures galantes de Bérurier.
Faut-il tuer les petits garçons qui ont les mains sur les hanches ?
La vieille qui marchait dans la mer.

Œuvres complètes :

Vingt-deux tomes déjà parus.

SAN-ANTONIO

LA FIN
DES HARICOTS

FLEUVE NOIR

6, rue Garancière - Paris VIe

4ᵉ réimpression
530ᵉ mille
Édition originale parue
dans notre collection Spécial-Police
sous le numéro 259
Texte paru également dans le Tome X
des Œuvres Complètes de San-Antonio

© 1961, « Éditions Fleuve Noir », Paris

ISBN : 2-265-04153-X
ISSN 0768-1658

Vous le savez que les personnages de ce récit sont fictifs et que toute ressemblance, etc., etc.
Hmm?
Alors

S.-A.

A Janine et André de CARO.

En souvenir de la Grande Table
des Grandes Alpes.
Bien affectueusement

S.-A.

CHAPITRE PREMIER

Le sadique

L'inspecteur Pâquerette tourna vers moi son visage fripé de vieil adolescent hépatique. C'était un type sans âge, blanc comme le blanc d'une endive et maigre comme une radiographie de Philippe Clay, avec un long nez triste qu'il pouvait attraper du bout de sa langue chargée et des yeux minuscules, noirs et prompts, qui ressemblaient à deux grosses mouches enlisées dans de la crème Chantilly.

Donc Pâquerette se tourna vers moi et offrit à mon regard avide sa misérable géographie. Il avait passé douze ans à la Mondaine et connaissait toutes les tapineuses de Paris, depuis les emballeuses des berges qui exercent leur vaillante industrie à l'abri d'un parapluie, jusqu'aux nanas en vison qui épongent les grossiums de la Madeleine contre une effigie de Bonaparte, en passant (si j'ose ainsi m'exprimer) par les bucoliques qui font, dans les bruyères du bois de Boulogne, ce que d'autres dames font (pour un salaire plus modique) avec les racines de la même bruyère, mais dans la ville de Saint-Claude (Jura).

C'était précisément à cause de ses antécédents que le Vieux m'avait adjoint Pâquerette au début de l'enquête.

— Il pourra vous être très utile, avait assuré le Tondu en caressant sa coquille, histoire de s'assurer qu'elle n'était point fêlée.

S'étant tourné vers moi, l'inspecteur Pâquerette se permit quelque chose de très inhabituel. Il cligna de l'œil. Venant de lui, la chose avait je ne sais quoi de choquant, voire d'indécent. Je me dis, *in petto* (pour ne pas être compris de mon compagnon), que s'il adressait de telles œillades aux bergères, il devait se faire reluire avec du cirage plus qu'avec les dames de la bonne société.

— Qu'en dites-vous? demanda-t-il d'un ton fluet.

Je n'ai jamais entendu parler un rat, mais j'imagine que ça doit donner à peu près ça.

Il a les mâles inflexions d'un eunuque enrhumé, Pâquerette.

— Faut voir...

Nous nous tûmes. L'instant était grave.

Nous étions assis dans la chambre à coucher d'une concierge de la rue Godot-de-Mauroy, sur deux chaises cannées, entre une cheminée où trônait une œuvre d'art en plâtre de Paris authentique qui représentait un petit chat dans un sabot, et une console en faux marbre véritable où des fleurs en celluloïd, tellement bien imitées qu'elles avaient l'air artificielles, agonisaient sous trois centimètres de poussière.

La rue assez mal éclairée baignait dans un brouillard doré. Depuis deux jours, Paris était enveloppé dans du coton, comme les trompes d'Eustache d'un frileux sensible des étagères.

La tapineuse que nous avions choisie comme objectif allait et venait en tortillant son fonds de commerce. Elle accomplissait toujours le même périple, s'étant donné pour limites un magasin de machines à écrire et une épicerie fine. Elle s'arrêtait parfois pour mater la vitrine de l'épicier, puis elle se retournait afin de montrer la sienne aux passants. C'était une blonde, bien fournie. *Le sadique ne tuait que des blondes*. Elle avait le genre flamand. Elle était un peu massive, mais jeune et pas mal roulée. De temps à autre un pékin s'arrêtait, consultait le catalogue, se faisait expliquer les délices envisageables, s'informait de leur prix toutes taxes comprises et disait qu'il allait réfléchir.

Pâquerette m'avait expliqué que la demoiselle affurait mal because on était à la fin janvier et que c'est une période critique dans l'industrie de luxe.

Les budgets ont été secoués par les étrennes, le premier tiers provisionnel dresse à l'horizon sa perspective menaçante et les grippes annuelles ont quelque peu diminué la vitalité des messieurs.

Pâquerette murmura :

— Quelque chose me dit que...

Je n'osais y croire. Cela faisait quinze jours que nous bivouaquions, mon collègue et moi, dans les hauts lieux de la prostitution, espérant toujours démasquer le fou qui, régulièrement, deux fois par mois, abattait une pierreuse. Jusque-là nous avions fait chou blanc.

Ça devenait un cauchemar. Bien sûr, nous n'étions pas les seuls poulets sur l'affaire, mais nos collègues n'avaient pas plus de bol que nous. Le processus du meurtrier, pourtant, ne variait pas. Il abordait les filles, les décidait à le suivre en voiture, même lorsqu'il s'adressait à des sédentaires; il les conduisait alors dans un endroit désert, les étranglait et les abandonnait dans l'auto qui était chaque fois une voiture volée. Le plus étrange, c'est que les filles, prévenues par la presse des méthodes du tueur, continuaient de le suivre. On avait eu à plusieurs reprises le signalement du maniaque, mais il ne correspondait jamais au précédent.

On eût dit que l'homme possédait plusieurs aspects ou bien qu'il y avait plusieurs meurtriers à pratiquer le même crime selon un cérémonial immuable.

Nous retenions notre souffle. Une auto noire venait de stopper depuis un instant à quelques mètres de la fille blonde, mais son conducteur était resté au volant.

Immobile dans l'ombre de la voiture, il observait la prostituée avec une fixité affolante.

— Je vous dis que c'est lui! murmura Pâquerette.

— O.K., allons voir ça d'un peu plus près.

Nous sommes sortis de la modeste chambre où flottaient des remugles de concierge trop honnête pour être au lit.

La cerbère préparait une soupe de poireaux odoriférante.

— Vous v'z'allez, messieurs?

— Provisoirement.

Il faisait froid. Les gens semblaient pressés de rentrer chez eux. La péripatéticienne continuait d'emmagasiner des kilomètres. Elle n'avait pas remarqué l'automobiliste qui la surveillait avec tant d'acuité.

En marchant, Pâquerette produisait un bruit de troïka sur la piste blanche, à cause des nombreuses pilules qui grelottaient en ses poches truffées de pharmacie.

— On prend la voiture, commissaire?

— Of course!

Nous sommes montés à bord de mon MG. Il y faisait moins chaud que dans la chambre froide du boucher voisin. Pâquerette ne manqua pas d'éternuer, ce qui eut pour effet de rendre mon pare-brise absolument opaque. En maugréant, l'inspecteur releva le col de son pardessus prince-de-Galles-fauché couleur feuilles-mortes-balayées.

L'auto dans laquelle se tenait l'individu

était une vieille Mercédès trapue. Un long moment s'écoula. Pâquerette prit un flacon inhalateur, le décapuchonna, se fourra le bec dans le naze et pompa énergiquement en respirant avec ardeur.

— Vous m'en mettrez dix litres! blaguai-je.

Il se renfrogna, remisa son fly-tox à microbes et se mit à sucer une pastille. Ce mec-là dégageait une odeur insoutenable. Il puait le thermogène, la menthe médicale et un tas d'autres trucs dont l'eucalyptus.

— Je crois qu'on a eu une fausse joie, remarquai-je. Ce zigoto attend quelqu'un; et s'il visionne les charmes de la pute c'est uniquement pour passer le temps.

— Je crois aussi, lamenta Pâquerette.

Nous étions stoppés devant un marchand de meubles. L'inspecteur louchait sur un bahut en merisier à qui il ne manquait que deux cents ans d'existence pour avoir l'air ancien.

— J'aime le bois, déclara-t-il solennellement, comme si cette affirmation était susceptible de modifier la Constitution en cours.

— Alors, quand vous mourrez, ne vous

faites pas cramer, mon vieux, lui conseillai-je.

Il ne rit pas. Il riait peu et mal, ayant des difficultés avec les attaches de sécurité de son râtelier.

Soudain, nous nous crispâmes. Le conducteur de la Mercédès venait de descendre de sa bagnole. D'un pas nonchalant, il s'approchait de la pétasse. C'était un type grand et mince, vêtu d'un loden sombre serré à la taille par une ceinture. Il portait un gros foulard de soie blanche et il était coiffé d'un chapeau de feutre vert orné d'un cordonnet en guise de ruban.

Nous le vîmes aborder la fille et parlementer avec elle. L'entretien dura assez longtemps. La tapineuse faisait des gestes de dénégation.

— C'est lui, hein? exulta Pâquerette.

— Ça se pourrait.

— Elle n'a pas l'air de vouloir se laisser emballer...

— Mettez-vous à sa place.

Une fraction de seconde, je m'offris l'image de Pâquerette déguisé en professionnelle du trottoir et mon cerveau en fut réchauffé.

— Ça y est! Elle le suit!

Contre toute tradition, c'était en effet la racoleuse qui suivait le monsieur. Ils gagnèrent la voiture. Galamment, l'homme ouvrit la portière à sa facile conquête. L'espace d'un éclair nous aperçûmes son visage à la lumière du plafonnier. Un visage assez jeune, me sembla-t-il, mince, plutôt harmonieux, avec un regard clair et des lèvres minces.

Je mis ma bagnole en marche et démarrai sans attendre le départ de l'autre. Je vous l'ai toujours dit : la meilleure façon de suivre quelqu'un sans lui donner l'éveil c'est de le précéder. Je filai donc, doublai la Mercédès et, tout en la surveillant dans mon rétroviseur, gagnai les boulevards.

L'auto du supposé sadique venait de déboîter et me filait le train. Elle me rejoignit, me doubla à son tour et prit à droite en direction de Saint-Augustin.

Alors je ralentis pour laisser s'intercaler une autre bagnole entre nous. La mienne étant très basse, cela suffisait pour me dérober à la vue de l'homme à la Mercédès.

Nous roulâmes de la sorte jusqu'à l'Etoile. Le « sadique » vira encore à droite et s'offrit l'avenue de la Grande-Armée. A ces heures, la circulation se calmait et nous filions bon train. Nous traversâmes la porte Maillot et continuâmes vers la Défense.

— C'est quand même formidable, soupira Pâquerette.

— Quoi donc?

— Qu'une grue de la Madeleine se laisse emmener si loin en sachant qu'un sadique opère depuis deux mois dans Paris.

— Très étrange, en effet. Il doit avoir un argument de choix.

— Si ça pouvait être lui! rêvassa Pâquerette. Vous imaginez cette publicité dans la presse?

J'eus un regard pour sa pauvre bouille d'amoindri. Il avait tout contre lui Pâquerette : les bronches, l'estomac, la constipation, des calculs erronés dans la vessie et des migraines de courge. Il vivait encore parce que Fleming avait inventé la pénicilline mais son existence zigzaguait d'une pharmacie à l'autre. Je ne voyais pas ce que son portrait pouvait apporter au standing de *France-Soir*.

Il devait bien cependant être assez lucide pour se rendre compte que sa frime était tout juste bonne à illustrer la notice explicative d'un laxatif! Ou alors c'était à désespérer de la race humaine!

La Mercédès traversa le pont de Neuilly et tourna tout de suite après, sur la droite, en direction des studios Photo Sonor.

— Il ralentit, hein? observa Pâquerette.

— Oui. J'ai idée qu'il arrive·au terme de son expédition.

Effectivement, la chignole allemande virgulait des coups de clignotant à tout va pour annoncer qu'elle prenait encore à droite. Or, encore à droite, c'était la berge de la Seine. Le pseudo-sadique emprunta la rampe assez raide qui y conduisait.

Je décidai d'arrêter ma trottinette sur le quai, bien·qu'à cet endroit le stationnement fût expressément défendu.

Nous descendîmes et nous nous penchâmes par-dessus le parapet. La Mercédès était maintenant stoppée juste au-dessous de nous. Son conducteur avait éteint les phares et dans l'ombre, il fallait écarquiller les globes pour l'apercevoir.

— Descendons, ordonnai-je.

Nous prîmes l'escalier de pierre, très roide, qui conduisait à la berge. Pâquerette descendait prudemment les marches étroites, de crainte d'en rater une et de précipiter sa décalcification.

Par un heureux hasard, la voiture était

arrêtée de telle manière que l'angle mort de l'arrière devait nous dissimuler aux yeux de l'homme.

Soudain je perçus une sorte de cri étouffé. Alors je franchis d'un saut prodigieux les cinq derniers degrés et je me.ruai vers la voiture. Par la lunette arrière je distinguai confusément la lutte tumultueuse de deux ombres à l'intérieur de l'auto. Le véhicule remuait sur sa suspension. Je bondis à l'avant, ouvris une portière et eus droit à un gros plan de la scène. L'homme au loden avait noué ses deux mains au cou ᵈe l'infortunée respectueuse. Il avait en outre passé sa jambe droite par-dessus celles de la femme pour les bloquer et il étranglait la malheureuse en émettant des soupirs rauques. Ma brutale irruption lui fit l'effet d'un seau d'eau froide. Il lâcha prise et me considéra d'un air morne, en clignant des yeux à cause de la clarté du plafonnier. Puis, avec une soudaineté inouïe, il ouvrit la portière de son côté et se rua au-dehors. Je crois avoir des aptitudes pour la course à pied, mais je dois reconnaître qu'à côté d'un zig comme lui, mon démarrage ressembla à celui d'un escargot bloqué par des rhumatismes articulaires.

Je vous parie le clavier d'un Gaveau de famille contre le dentier de cérémonie de la reine mère of England que Rhadi en personne n'aurait pas pu rattraper cette flèche vivante.

Pourtant je mis le paquet. Cet enfoiré m'avait déjà pris quinze mètres lorsque deux balles sifflèrent à mes oreilles. Le sprinter fit une cabriole en avant, exécuta encore deux enjambées et s'écroula, face contre terre.

Je me retournai et j'aperçus Pâquerette, immobile dans le milieu de l'escalier, un pétard fumant à la main.

— Ne tirez plus, bon Dieu! hurlai-je.

Je courus au fuyard. L'inspecteur n'avait pas appris à se servir d'un feu par correspondance, moi je vous le dis.

Mon sadique ressemblait à la carte perforée d'une calculatrice électronique. Il avait un trou à la base du crâne, et un autre au milieu du dos. Maintenant, pour l'arrêter, c'était à saint Pierre d'organiser des barrages.

Pâquerette arrivait, le nez plus pointu que jamais.

— S'il est assuré sur la vie, j'espère que sa veuve vous refilera une part de la prime!

Pâquerette émit un petit rire aigrelet et

satisfait. La mort des autres ne l'intéressait pas, même quand c'était lui qui l'avait provoquée. Il ne se préoccupait que de la sienne et sans doute avait-il raison.

— Il n'a eu que ce qu'il méritait. J'ai tout de suite compris qu'il courait plus vite que vous. Il ne fallait pas le laisser échapper, n'est-ce pas?

— Non, il ne fallait pas. Mais puisque vous êtes aussi bon tireur, vous auriez pu lui viser les pattes!

Il haussa les épaules, sortit son flaçon inhalateur et s'envoya une giclée de drogue dans le navet.

Des gens alertés par les coups de feu radinaient.

— Allez téléphoner à Police Secours, fis-je en retournant à la bagnole où la pétasse reprenait ses sens.

Elle avait eu un drôle de choc, la môme! Sous sa couche de fards on la devinait d'une belle teinte épinard bouilli.

Des traces violacées marquaient son cou.

En m'apercevant elle poussa un petit cri de terreur. Son Jules allait pouvoir lui administrer des tranquillisants à haute dose. Pendant un bout de temps elle aurait les copeaux à la vue d'une araignée et se trouverait mal devant les photos de Michel Simon.

— Eh! Remets-toi, trésor, je suis de la flicaille! dis-je en lui souriant. T'as eu chaud aux amygdales, hein?

Rassurée, elle battit des cils à plusieurs reprises, s'efforça d'avaler sa salive et murmura :

— C'est bien la première fois que je suis contente de voir un poulet. Vous parlez d'un salingue! C'est le sadique, non?

— C'était, rectifiai-je en lui désignant le cadavre de son agresseur à quelques encablures... Comment se fait-il que tu te sois laissé embarquer aussi loin de ton Q.G.?

— Il avait un paquet d'oseille épais comme un Dunlopillo!

Parbleu! Et dire que le gars Pâquerette et moi nous perdions en conjectures. Le type faisait voir de l'artiche et ça fascinait les respectueuses.

— Comment ça s'est passé?

— J'ai même pas eu le temps de réaliser. A peine qu'il a stoppé sa chignole j'ai eu ses pognes autour du cou. Et il serrait, l'ordure! Le coup du poulet, sauf vot' respect.

Police Secours radinait. J'abandonnai la sœur aux mains fiévreuses de Pâquerette afin de me consacrer au meutrier. Un peu plus tard, j'étais en possession de tous les détails, j'avais la liste des engagés et les numéros des dossards. Le sadique était un certain Jérôme Boilevent, trente-deux ans, pas marié, qui possédait une petite fabrique de fixations pour skis dans la banlieue parisienne. Jusqu'alors il était ignoré des services de police et ses mœurs n'avaient jamais été sujettes à caution (comme dirait Lemmy).

Pâquerette eut sa photo dans le journal. Elle était tellement floue que, sur le cliché, c'était lui qui avait l'air du cadavre.

CHAPITRE II

Le doute

Il y a des jours où il vaudrait mieux lire le *Journal Officiel,* manger des poils d'artichaut ou faire un doigt de cour à une Anglaise plutôt que de rester chez soi.

C'est du moins mon opinion chaque fois que le cousin Hector déboule *at home* pour le casse-graine mensuel.

Ce soir-là, après les salsifis en beignets, les ris de veau Clamart et le Fontainebleau à la crème, Hector propose dare-dare (comme dirait un illustre confrère à moi) une partie de dominos. C'est un flambeur dans son genre, Totor. Il aime les émotions fortes. L'enfer du jeu, ça lui travaille en secret la caboche. Et les dominos, depuis quelque temps, c'est son vice number one. J' sais pas si c'est un effet de mon imagination, mais je trouve qu'il ressemble de plus en plus à un double-six !

Donc, on se met à brasser les dominoches sur le tapis qui transforme occasionnellement notre salle à manger en Macao de banlieue.

Après les ris (de veau), les jeux, comme a écrit ce fameux écrivain suisse qui avait des varices et une montre en or.

Tandis qu'avec m'man et l'abominable Hector on se distribue les osselets, ce célèbre fonctionnaire nous fait part de ses aspirations. Il espère être promu officier dans l'ordre des palmes académiques à la prochaine distribution. Si la chose se réalise il posera illico sa candidature au salon des poètes de la rue de Tournon, pour succéder à Amédée Dussossoy, ce délicat rimeur à qui on doit entre autres œuvres immortelles : « Mi-figue, mi-raisin », ode dédiée à un importateur de fruits, et surtout « On ne parle pas la bouche pleine », drame en vers, à la manière de Musset.

Je l'écoute d'une oreille furax. J'en suis à me demander quel est le meilleur moyen d'interrompre la soirée : chiquer à la crise cardiaque ou lui faire manger le jeu de dominos, lorsque, par un providentiel hasard, le téléphone retentit.

Je me catapulte à l'appareil. La voix harmonieuse du Vieux fait trembler la plaque sensible.

— San-Antonio, dit-il, arrivez immédiatement. Une grue vient d'être assassinée dans les mêmes circonstances qu'auparavant.

Je ne sais pas si vous avez déjà vu fonctionner les loteries foraines. La roue multicolore tourne dans un flamboiement de lumière en émettant un crépitement de mitrailleuse. Instantanément ma cervelle se déguise en loterie de foire. Ça tourne! Ça fait du bruit! Ça jette des feux!

Je vois feu Jérôme Boilevent serrant le gosier de la blonde dans la voiture. Je vois sa fuite; sa culbute... La bouille d'un Pâquerette triomphant, fier de son carton.

— Bon, je viens, chef.

— Je suppose que tu vas nous quitter? grince Hector de sa voix qui me fait toujours évoquer une girouette rouillée.

— Exactement. Et ça urge.

Le futur officier dans l'ordre alphabétique des palmes académiques ricane.

— Le jour où tu te consacreras à tes invités, mon pauvre ami...

Je m'abstiens de lui répondre que ce jour-là, lui, Hector, ne se trouvera pas parmi lesdits invités et je gicle.

**

C'est le branle-bas (comme disait un teckel) à la maison des grosses tronches.

Dans le bureau du Vioque il y a déjà l'état-major : le patron des Mœurs, l'inspecteur Pâquerette et ses cachets de Céquinyl, Bérurier avec une bouteille de bordeaux rouge pas entamée dans la poche de son pardingue et le père Pinaud avec une fluxion dentaire toute neuve qui lui donne vaguement l'aspect d'un vieux boxer.

On se rend facilement compte, à en juger par la mine des personnages assemblés, que l'heure est grave.

— Bonsoir, mon cher, grommelle le superman de la calvitie. Asseyez-vous.

Je prends le dernier siège laissé vacant et j'attends.

Le Big Boss se mouille l'extrémité des doigts du bout de la langue et astique le sommet de sa coquille avec énergie.

— Messieurs, l'heure est grave, dit cet amoureux des formules aussi ronflantes que toutes faites. Depuis quelque temps je savais que l'homme abattu par Pâquerette n'était pas le sadique, mais je faisais le mort, espérant un miracle. L'événement avait fait trop de bruit dans la presse, il eût été dangereux de... de...

Il cherche une expression vigoureuse et obligeamment, le Gros Béru la lui fournit :

— De remuer la m...?

Du coup, le patron en oublie de respirer. Il clape à vide une fois ou deux et son visage se met à ressembler à une serpillière mouillée.

Mais comme il sait dominer l'adversité, il hausse les épaules et enchaîne :

— Comment ai-je su que ce Jérôme Boilevent n'était pas le sadique? Très simple, j'ai fait vérifier son emploi du temps concernant les périodes où furent commis les meurtres précédents. A l'exception d'une fois, Boilevent avait des alibis lors de chaque assassinat.

Un murmure court dans nos rangs. C'est ce qu'on appelle une nouvelle à sensation. Le dirlo des Mœurs, un grand gaillard blond et sympa, rallume un moignon de cigare. Le

Gros caresse le col de sa boutanche de rouquin, Pinuche masse sa fluxion comme on caresse le ventre d'une chatte pleine et Pâquerette ne reculant devant aucun sacrifice, gobe sans respirer : un comprimé sédatif; une pilule pour la constipation; une autre contre; de l'antigrippine (de cheval) et termine l'orgie par deux pastilles de réglisse.

Heureux de son effet, le Dabe poursuit :

— Ce qui m'a donné l'idée de ce petit et discret supplément d'enquête? Un détail, messieurs... Un simple détail...

Et de se pourlécher les extrémités comme un gros greffier qui fait sa toilette. Et de nous toiser avec un petit air supérieur. Et de se filer les noix contre le radiateur du chauffage central (là elles sont dans leurs éléments).

— Si vous vous souvenez, lors des assassinats, le sadique mystérieux utilisait pour ses macabres expéditions une voiture volée.

« *Or, Boilevent, lui, a opéré avec la sienne.* Vous le savez, messieurs, un maniaque agit toujours suivant un même cérémonial. Ce fait m'a donc troublé... »

— C'est pas tellement c..., ce que vous dites, admet le gars Béru en passant deux doigts dans l'entrebâillement de sa braguette afin de gratter cette partie de lui-même davantage fréquentée par les poux que par les girls du Lido.

— Heureux de vous l'entendre dire, ricane le Tondu.

Le boss des Mœurs demande :

— En ce cas, monsieur le directeur, qu'était selon vous Jérôme Boilevent?

Crâne-d'Œuf se caresse la coquille (un de ces quatre, je lui offrirai une peau de chamois à l'antibuée).

— Je l'ignore. Peut-être a-t-il été gagné par la psychose de meurtre. Ce genre de crimes réguliers qui frappent le public suscite, si je puis dire, des vocations. Certains individus cèdent à leurs instincts...

— En somme, résumé-je, Pâquerette a abattu un innocent.

Bouille du susnommé! Il se met à dévorer du Décontractyl à toute vibure, tout en me téléphonant un regard vinaigré.

C'est le genre de bilieux qui ne pardonne pas aux autres ses propres couenneries.

— Innocent! Innocent! C'est vite dit, rouscaille le chétif.

« Il y a eu tentative d'assassinat, commissaire, vous en fûtes le témoin! »

Le Vioque rechoppe le crachoir qui était

sorti en touche. Il dégage à la main, aussi
sec.

— C'est certain, cher Pâquerette. C'est
certain. Néanmoins, vous savez comment
sont ces messieurs de la presse? Toujours
prêts à flatter les penchants du public, sa
sensiblerie. Or le public a horreur que la
police abatte des gens qui n'ont tué personne, car, en somme, Boilevent n'avait tué
personne. Et il a plus horreur encore qu'on
tire sur un fuyard.

Pauvre bonhomme Pâquerette! Sa mine
d'endive vire au vert bouteille. On voit
croître et se multiplier des boutons d'urti-
caire sur sa peau malsaine. Il est tellement
déprimé que le Vieux au cœur de granit (et
au crâne marmoréen) le prend en pitié.

— Je ne vous blâme pas, mon bon,
assure-t-il. Je prévois seulement les conclu-
sions des journalistes. Dès demain, les journaux vont se déclencher, à cause de ce
nouveau meurtre...

— Au fait, interviens-je, comment et où
s'est-il produit?

— Près de la porte Saint-Martin, en fin
de journée. Une respectueuse a été étranglée
dans une voiture que son conducteur avait
rangée dans une impasse obscure.

— On a le signalement de l'assassin ?

— Un de plus. Il a été vu, parlementant avec la fille, par un vieillard impotent qui passe sa vie à sa fenêtre. Ce serait un homme de taille moyenne, vêtu d'une vieille canadienne beige et coiffé d'un béret basque ou d'une casquette, le vieux n'est pas en mesure de préciser.

Un court silence. Le Big Boss ou, plus exactement, le grand patron, comme disent les Américains, s'empare d'une règle. On dirait un chef d'orchestre s'apprêtant à attaquer la *Nuit sur le mont Chauve*.

— Cette fois, messieurs, nous sommes acculés.

Rire bestial, copieux et incongru de l'ignoble Béru. Il pousse Pinaud du coude et s'exclame.

— On te l'envoie pas dire !

Une gêne cuisante se met à siffler comme un poste de radio après la fin de l'émission.

— C'est le dispositif des grandes circonstances, enchaîne le Boss. S'il faut que nous mettions sur cette affaire autant d'hommes qu'il y a de grues dans Paris, nous le ferons !

Re-rigolade bérurienne.

— La mobilisation n'est pas la guerre ! pouffe-t-il.

— Je vous en prie, Bérurier! sermonne le Chevelu-à-rebours.

Le rire du Gros s'arrête comme le sifflement d'un pneu crevé lorsqu'il est complètement à plat.

— Je veux, poursuit le Laqué, qu'on établisse une planque à chaque point de Paris où la prostitution fleurit.

Le dirlo des Mœurs lève le doigt pour réclamer la parole. Béru ne peut s'empêcher de lui dire :

— Si c'est pour les gogues, ils sont au fond du couloir à gauche.

M'est avis que Béru va droit à la révocation avec ses calembredaines!

— Vous vouliez dire, Poitou? s'inquiète the Big Patron.

— Ce dispositif a été en vigueur plusieurs semaines, je vous le fais remarquer, monsieur le directeur. Et il n'a rien donné, sinon l'affaire Boilevent.

— Renforcez-le! C'est le seul à adopter...

Nous croyons l'entretien terminé. Il ne l'est pas pour moi.

— San-Antonio, restez, j'ai différentes choses à vous dire.

Les autres se taillent avec des courbettes adéquates. Lorsque la porte s'est refermée

sur le talon d'Achille (Pâquerette se pré-
nomme Achille, vous l'ai-je dit?), le Vieux se
jette sur moi comme un Écossais sur un
porte-monnaie perdu.

— Je compte sur vous, mon cher ami.

— Pour quoi faire, patron?

— Pour nous sortir de l'impasse. Vous
avez des méthodes particulières. Votre fan-
taisie vous dicte plus sûrement la marche à
suivre que la raison la plus froide. Aussi je
vous laisse carte blanche. Faites ce que vous
voudrez, comme vous le voudrez! Mais
amenez-moi des résultats.

Je réfléchis un moment.

— O.K., patron. Je vais attaquer.

CHAPITRE III

Les petits moyens

Je retrouve ma fine équipe, moins le dirlo de Mœurs au troquet du coin. Pâquerette est en train de refiler de l'aspirine vitaminée à Pinuche qui a des tracas avec sa fluxion. Béru, lui, farouchement hostile aux médicaments, commande un grand moulin à vent.

— Tu joues les don Quichotte! ricané-je en posant une partie très essentielle de moi-même auprès d'une partie très superflue de Béru.

— Qui chiotte ou qui chiotte pas, riposte-t-il, je maintiens que c'est avec le vin qu'on s' soigne le mieux. Tiens, l'aut' soir, la femme d'Alfred me téléphone : son merlan avait une fièvre de cheval.

— De cheval marin?

— Interromps pas l'homme qui cause, ça se fait pas, même quand il s'agit d'un subaderne.

Il poursuit.

— Je fais comme ça à Antonia : « Est-ce que vous z'avez du pinard? » « Oui », qu'é me répond. « Bon, je lui fais, faites-en chauffer un kilbus avec beaucoup de sucre et de poiv' et faites-y boire à Alfred. » « Vous croyez? » qu'elle me dit. « Essayez pour voir », que je lui fais... » Elle essaie. Et le lendemain tu me croiras si tu voudras, mais Alfred emmenait Berthe au cinoche de not'quartier où ce qu'on passait un film du Scotch.

— Un film de qui?

— Attends... Biscotte! Non, c'est pas ça... Tu sais, le gros qui fait penser à un œuf à la coque? Y s'appelle à la Coque, voilà ça me revient, Ichetecoque!

— Trêve d'œuf, nous avons des sujets de préoccupation plus importants, ce me semble.

Pinaud, que son enflure rend peu bavard, se décide cependant à émettre son point de vue. Celui-ci est net, plein de pertinence.

— Je trouve, fait-il en prenant involontairement l'accent de M. Darry Cowl, qu'on fait bien des histoires pour pas grand-chose. Qu'est-ce qu'il tue, le sadique? Des prostituées après tout, non? Alors?

— Vieillard, soupiré-je, ton humanisme me confond toujours. Quand tu te tais, on finit par oublier que tu es gâteux. Fasse le ciel qu'il t'envoie une seconde enflure à l'autre joue, de cette façon, enfin, tu ne pourras peut-être plus parler.

Il se renfrogne. Béru anéantit son moulin à vent en moins de temps qu'il n'en a fallu au caviste pour le soutirer.

— Allons, dit-il. Ton avis, maintenant qu'on s'est barrés de chez le vieux crabe?

— Un peu de politesse ne messied pas, fait observer Pâquerette, lequel réprouve hautement la manière de son nouveau collègue.

— Messieds-toi sur ta banquette et ferme-la, eh, suppositoire!

Il éclate, un rien beurré.

— Non, mais, môssieur a passé douze ans de ce que j'ose même pas appeler sa vie à palper des enveloppes de ces dames du parterre, et il voudrait vous faire la leçon!

Son ton monte, comme dit mon tonton.

— Sache z'une chose, fesse de rat malade,

des leçons de politesse j'en donne; j'en reçois pas!

— Halme-toi, aspire Pinaud.

— Non, dit Béru qui a peur de se calmer, car ses colères ne durent pas; non, je ne me calmerai pas. Ah! misère, faut le croire pour le voir! Un miteux de la mondaine; drogué à faire dégobiller un médecin légiste! Une patate qui flingue le premier tordu qu'il voit courir au point qu'on n'oserait pas l'emmener sur un stade, de peur qu'y fasse un malheur! Et c'est ça, c'est ce mort qui n'en sait rien qui veut vous apprendre à causer!

— Permettez, bégaie Pâquerette, décomposé par la fureur.

— Je permets qu'une chose, termine Béru, c'est que tu paies un autre verre!

— Je n'en supporterai pas davantage, décrète l'inspecteur en se levant.

— Voilà môsieur qui joue les chochottes, exulte le Mahousse. Mais, ma pauv' dame, faut vous faire voter un emploi de gardienne de ouatères si que vous avez le cœur trop fragile!

Je retiens Pâquerette par une aile.

— Asseyez-vous, mon vieux. Et toi, Béru, mets-y une sourdine. On dirait que tu fais une vente aux enchères.

— Je vais demander mon changement, assure Pâquerette. Il est des promiscuités insupportables. C'est déchoir que de...

Béru va pour l'apostropher de plus belle, mais je lui lance sous la table un coup de latte qui briserait l'Obélisque.

On laisse le gobeur de pilules se vider de sa bile. Pas besoin de lui filer de drain, ça part tout seul. Après quoi nous sommes en mesure, comme dit mon tailor, d'aborder les choses sérieuses.

— Les gars, ça va être l'hallali!

Naturlich, Béru, sollicité par ce mot musical, se croit obligé d'entonner une tyrolienne.

Pour le faire taire on lui commande une tournée de mieux, et je peux poursuivre.

— Pâquerette, vous qui êtes un technicien de la prostitution...

— Laisse-moi rire, fait Bibendum. Tel que je vois môssieur il a jamais grimpé une jument. Lui faudrait une échelle et des crampons!

— Ça ne va pas recommencer? glapit Pâquerette.

Il vide rageusement son Vittel-menthe.

Le doux Pinaud, lui, s'est endormi. Sa chique lui pend sur la poitrine comme une

poire. M'est avis, les amis, que je suis
drôlement loti avec une équipe pareille.

— Vous disiez, commissaire?

— Que vous allez établir avec un type du
service cartographique une carte de la prostitution parisienne.

— Bonne idée, clame Bérurier. On vendra ça aux touristes sur les Champs-Zé et on
fera fortune.

— Ensuite, commissaire?

— Lorsque nous aurons une représenta-
tion graphique du problème, nous affecte-
rons deux voitures camouflées à une inspec-
tion continue des quartiers intéressés.

« Bien entendu ces véhicules seront des
autos munies de radio. Elles communique-
ront au fur et à mesure les renseignements
qu'elles recueilleront à un poste d'écoute
chargé de centraliser. »

— Pas mal, approuve Pâquerette en suço-
tant une pastille à l'eucalyptus.

Le Gros ne peut se contenir.

— Dire qu'il y a des organisses pour la
protection de la jeune fille qui font faillite.
Et nous autres on est là qu'on va se
défoncer le baigneur pour assurer celle de la
roulure!

Il promène sa monstrueuse langue écarlate sur ses lèvres pareilles à deux varices.

— Je vais vous dire une chose, les mecs :
la vie est mal fichue !

— Quand on te regarde d'un peu près on
en est convaincu, certifié-je.

Il n'apprécie pas et m'indique l'endroit
incommode où il remise mes jugements sur
lui.

Pinaud qui vient de choir de la banquette
se réveille.

— On est déjà là ! bafouille-t-il en regardant autour de lui.

— Tu parles si on a fait vite, lui dis-je.
Bon, maintenant, mes frères, rentrez chez
vous ; prouvez à vos épouses qu'elles n'ont
pas fait un mariage blanc et reprenez des
forces pour demain.

— Je ne suis pas marié, Dieu merci, fait
Pâquerette.

Les ayant quittés, je pense aux dominos
d'Hector étalés sur la table de notre salle à
manger et je frissonne. La pensée de retrouver l'abominable cousin m'insupporte tellement qu'à la minute où je vous cause je

préférerais rentrer à la Trappe plutôt qu'à la maison.

Mon cadran solaire à remontoir indique dix plombes. C'est l'heure idiote des soirées. Dix heures du soir, c'est comme trois heures de l'après-midi, l'homme qui n'a rien en cours à ces deux moments-là est bien à plaindre. L'affaire du sadique me casse les dragées. J'aime pas les dingues, ça m'incommode. J'ai idée qu'un psychiatre serait plus qualifié que moi pour mener l'enquête. De toute manière, il n'y a pas d'urgence. Le maniaque agissant à la fréquence d'un meurtre par semaine, ça nous laisse de la marge.

Je reprends ma tire et je vais au hasard des rues. Elles sont presque vides, ce qui est bigrement agréable. Si j'étais riche, je ne circulerais que la nuit.

Celle-ci, pour une noye d'hiver est particulièrement sélectionnée. Y a du clair de lune comme au Châtelet, sauf que, fort heureusement, Maria Naud ne pousse pas la romance andalouse. L'air est presque tiède, comme si la nature se gourait de date et nous filait une noye d'avril, en avant-première.

J'arrive à l'Opéra, je m'engage sur le

boulevard des Câpres et je me dis brusquement subitement tout à coup soudain que je suis à quelques centimètres de la rue Godot d'André Maurois (de l'Académie française par vocation).

Mon petit cinoche intime me passe en huit millimètres le film de l'affaire Boilevent. Je revois dans un éclair (au chocolat vu qu'il fait nuit) la chambre de la concierge où nous étions tapis (nous étions les seuls tapis de l'appartement d'ailleurs), le manège de l'homme au volant de sa charrue, son emballage de la fille, la filature, le drame sur la berge...

Un je ne sais quoi qui est l'instinct poulet me pousse à revenir sur les lieux de nos exploits. J'enfile la rue (elle l'a bien mérité) et la parcours au ralenti. Retour des choses : j'aperçois la fille blonde en train d'arpenter ses quinze mètres d'asphalte. Alors je me range et je m'approche d'elle. Elle se fait suave.

— Je t'emmène, mon pigeon, qu'elle me susurre d'un ton qui donnerait le vertige à une tortue.

— Tu te goures de volaille, ma jolie, lui dis-je en m'arrêtant, je suis pas un pigeon mais un poulet.

Elle me reconnaît alors et son enthousiasme avoisine le délire.

— Mince! Mon sauveur!

— Bravo, chérie, tu es plus physionomiste qu'un appareil photo.

— Ce que ça fait plaisir de vous revoir. C'est chouette d'être sauvée par un beau gosse. On s'est pas revus depuis ce coup fourré de la semaine passée...

Elle fait des gestes avec ses fesses pour aguicher le sauveur.

— Qu'est-ce vous devenez? gazouille-t-elle.

— Je fais comme toi, je cherche des clients.

— Pourquoi, c'est la morte-saison chez vous?

— Pas tellement. Et de ton côté, ça usine?

Elle hausse les épaules, prend deux cigarettes dans son ridicule réticule, m'en tend une et soupire, en attendant que je lui donne du feu :

— Pff! L'un dans l'autre on s'en tire.

Je la regarde téter sa cigarette et c'est alors qu'il me vient une idée. Je l'abîme en ne la qualifiant pas de géniale. Ce n'est pas

UNE idée. C'est L'idée. Avec un L majuscule qui vous apostrophe.

— Dis-moi, ma belle, je voudrais bavarder avec ton homme...

Elle se crispe un peu et son visage perd toute expression.

— J'ai pas d'homme.

— Non, fais-je en soufflant l'allumette, ça c'est le baratin pour les clilles. Eux, ils ont besoin de croire qu'ils sont tombés sur la rosière du coin qui s'est mis au truc pour payer une opération à sa vieille maman dans le besoin. Mais tu oublies que moi, je ne suis plus un enfant de chœur! Si je veux parler à ton jules, c'est pas pour lui chercher des noises, crois-le...

Elle hésite.

— Vu. J'ai confiance. Venez...

— Tu fermes le magasin? rigolé-je.

— Je peux; aujourd'hui j'ai ouvert de bonne heure.

— On va loin?

— Avenue Junot.

— Alors prenons ma tire...

Quelques minutes plus tard nous stoppons devant un bar discret dont les vitres sont pudiquement munies d'épais rideaux.

— C'est ici, annonce la souris.

Elle a un émoi de jeune fille sage à qui sa maman demande de se mettre au piano.

— Je m'appelle Marie-Thérèse, murmure-t-elle avant de pousser le bec-de-cane.

Mon entrée dans la strass passe aussi inaperçue que le monsieur qui mettrait la main dans le corsage de la reine d'Angleterre pendant une réception à Buckingham Palace.

Je sens un frémissement profond chez les consommateurs. Ceux-ci sont peu nombreux. Quelques-uns jouent aux cartes, d'autres discutent à voix basse. Il y a des filles groupées, à l'écart, qui mettent des touches de laque à ongles sur les échelles de leurs bas en parlant du parapluie et du Bottin.

Marie-Thérèse va à une table du fond où sont attablés deux messieurs qui se vexeraient si on leur demandait leur numéro d'immatriculation à la Sécurité sociale.

L'un est maigre, blond, soigné, avec une petite moustache, un regard clair et un complet qu'il n'a sûrement pas acheté au carreau du Temple. L'autre est petit, massif, brun, ardent, avec des yeux noirs et brillants qui sondent sans se laisser sonder.

C'est ce dernier que ma pétasse attaque. Il

la regarde et l'écoute en me considérant comme s'il n'avait pas la moindre envie de me connaître. La fille est vaguement inquiète. De toute évidence, son gars ne lui permet pas beaucoup d'initiative, sortie de la rue Godot-de-ce-que-vous-savez.

— Tiens, Alfredo, je te présente le flic qui m'a sauvé la mise quand le salingue a voulu me tordre le cou.

Alfredo, c'est pas le genre démonstratif. Il m'adresse un imperceptible hochement de tête et attend la suite. Son compagnon se lève, nonchalamment, et va au rade. Un discret! Faut savoir s'effacer dans la vie.

Marie-Thérèse, sentant combien elle est en porte à faux dans cette prise de contact, s'efforce de sourire.

— Monsieur a voulu te causer. Il a insisté. C'était la moindre des choses, non?

Je m'assieds auprès d'Alfredo.

— On dirait que vous êtes en train de traverser les chutes du Niagara sur un fil de fer, ricané-je; vous cassez pas le chou, mon vieux, je ne viens pas vous chercher du suif; d'ailleurs votre partie n'est pas la mienne à la maison Royco.

Il hoche la tête de la même façon évasive.

— Je veux bavarder avec vous d'homme

à homme, correct? Si ça vous les brise vous me le dites et je me taille, banco?

— Ben, j'écoute!

— Vous connaissez évidemment tous les détails de ce qui est arrivé à votre nana?

— Censément.

Je baisse la voix.

— Le zig qu'on a dessoudé n'était pas le sadique.

Alors là, je commence à l'intéresser. Rien de tel que la curiosité pour humaniser un dur.

— Oh! fait-il simplement.

— Textuel. On s'est payé un amateur. Le vrai continue sa série. Tout à l'heure il a encore buté une frangine à la porte Saint-Martin.

Monsieur prend les mesures de la situation. Sa nana, plus démonstrative, balbutie :

— Le boulot va devenir pas possible, déjà les Mœurs qui devenaient vachards...

Son manager lui fait signe de la boucler en opposant son pouce aux autres doigts à plusieurs reprises.

— Pourquoi vous me racontez ça, à moi? s'inquiète-t-il.

— Je suis le commissaire San-Antonio. C'est moi qu'on a chargé de l'affaire, seulement j'ai beau mettre en place un dispositif carabiné il est impossible de surveiller toutes les filles de Paname.

— Alors?

— Alors j'ai pensé que messieurs les Hommes et les poulets pourraient peut-être faire équipe. Marrant, non? Je m'explique : pendant une huitaine de jours chaque souteneur surveille son cheptel. On fait circuler dans le mitan le numéro de téléphone du Q.G. de la poulaille. A la moindre alerte, coup de bigophone, et mes archers entrent en lice, vous mordez le topo, mon vieux?

Il mord très bien.

— Vous prenez quelque chose?

— Une fine à l'eau.

Alfredo se lève et va au bar passer ma commande. Il reste un moment à chuchoter avec son collègue de tout à l'heure. Quand il revient il est très détendu.

— Ça peut se faire...

— Vous ne risquez rien. On vous demandera même pas vos blazes quand vous téléphonerez. Ce qu'il nous faut, ce sont des auxiliaires efficaces et discrets.

— Je vois.

J'arrache une feuille de mon Hermès et j'écris le téléphone de mon service.

— Voici le numéro. Faites circuler. Il faut que le mot d'ordre fasse tache d'huile.

— Vous bilez pas, ça se saura.

— C'est dans votre intérêt à tous.

Je lève le verre de fine qu'on vient de me servir.

— A la santé de ces dames, plaisanté-je.

CHAPITRE IV

Le point d'interrogation de la question

— Rien de grave? demande Félicie, ma brave femme de mère.

Hector vient de repartir, mais son odeur misérable flotte encore dans la salle à manger. Une odeur de célibataire maigre.

— Si, m'man. C'est grave.

Je lui narre les derniers événements. Elle m'écoute sagement, comme une vieille petite fille à laquelle on raconterait « Le Chaperon Rouquinos ». Puis ses yeux s'embuent et elle murmure :

— Je pense à ce pauvre garçon que ton collègue a abattu.

— J'y ai pensé aussi, m'man.

— Il était innocent!

— Pas tout à fait. Je l'ai vu en train d'étrangler la fille. Vu, tu entends? Et il y allait de bon cœur!

Elle hoche la tête.

— *Seulement, il ne l'a pas tuée, tu comprends?*

Evidemment, c'est le plus choquant de l'histoire. Il a bonne mine, le gars qui a assuré que l'intention valait l'action! Y a tout de même une marge, non? Allez donc demander à la plantureuse Marie-Thérèse, celle qui ne rit pas quand on l'étrangle, si elle trouve que c'est du kif!

— Vois-tu, Antoine, ce pauvre garçon...

Elle se tait, cherche des mots précis pour formuler sa pensée.

— Oui?

— Il me semble que quelque chose de bizarre a motivé son acte.

— C'est-à-dire?

M'man hausse les épaules. Elle est en train de ranger les dominos un à un dans leur boîte d'acajou.

— Pour étrangler une... une personne de ce genre, il faut être fou, tu es bien d'accord?

— Alors?

— On ne devient pas fou brusquement, enfin il me semble... Il y a des signes avant-coureurs. Regarde Mme Bonichon, notre voisine. On l'avait enfermée parce qu'elle voulait tuer le facteur, mais depuis des mois elle donnait de l'inquiétude à son entourage.

Vous le savez, ma Félicie, c'est le bon sens de la terre. Elle est bonne et juste. Je suis fortement ébranlé par ses paroles. Elle le sent et continue de son ton calme qui vous fait l'effet d'un bain tiède :

— Antoine, tu vas dire que je me mêle de ce qui ne me regarde pas.

— Tu sais bien que jamais je ne penserai, donc ne dirai une chose pareille, ma poule !

— Vois-tu, pour moi, le mystère, ce n'est pas le vrai sadique. Lui, c'est simplement un malade, un déséquilibré, et vous finirez par l'arrêter. Le mystère, mon Grand, il est du côté de ce Boilevent.

Une petite rue triste de Saint-Denis. Vous savez ? Le genre de voie reconnue d'inutilité publique, où les trottoirs sont encore en terre et où végètent quelques becs de gaz qu'on oublie d'allumer. Des poubelles cabossées et jamais rentrées dans les pauvres pavillons style bidonville amélioré encombrent la chaussée. Des épluchures jonchent le sol et des chiens faméliques hument les palissades avec des airs de se demander si les précédents toutous qui ont défilé là avaient du diabète ou de l'albumine.

L'atelier Boilevent et Cie se dresse au fond de la rue, non loin d'une usine à gaz qui embaume l'atmosphère.

Quelques bâtiments en dents de scie s'élèvent sur un bout de lande galeux comme le tapis-brosse de Bérurier.

Un bruit de tour mordant dans l'acier met dans l'air d'étranges vibrations.

Ça sent bon le travail dans le secteur. Comme tous les Français d'origine française, j'aime cette odeur. Le travail des autres est toujours émouvant pour celui qui ne fait pas grand-chose de ses dix doigts.

Sur le bout de mur placé là pour soutenir le portail, une plaque de marbre annonce « Etablissements Boilevent et Cie ».

C'est tout. Vu les circonstances, ça ressemble à une pierre tombale, à cause du marbre, probable?

J'entre dans une cour boueuse, jonchée de débris métalliques. Sur la droite, un petit bâtiment vitré prend une allure pimpante dans cette désolation. Je frappe à la porte et une voix de dame m'invite à tourner le loquet. Je pénètre. Burlingue classique et accueillant, peintures claires, meubles modernes à armature tubulaire.

Une fille châtain foncé, coiffée de façon un peu surannée, me regarde à travers d'importantes lunettes qui n'arrivent pourtant pas à l'enlaidir. Elle a le teint pâle, des taches de rousseur et ce regard fascinant, à la fois inquiet et surpris, des myopes. Le tout va chercher dans les vingt carats. Du tendron pour grand-livre de comptabilité. On met le passif d'un côté, l'actif d'un autre et la main au milieu.

— Monsieur? gazouille la mésange.

Pas la peine de lui vendre de la chicorée frisée en essayant de lui faire croire que c'est un portrait de Louis XIV.

J'aboule ma carte de matuche sur son répertoire des fournisseurs. Elle la regarde, se fige un peu et soupire :

— Oh! Encore?

Puis, volubile :

— Pourtant, avec ce qui s'est passé hier soir...

— Justement, c'est à cause de ça.

Je vous parie le double de ce que vous pensez contre la moitié de ce que vous savez que l'affaire de son patron l'a remuée, cette mignonnette. Peut-être même qu'elle s'en ressentait pour Boilevent?

Elle frémit.

— Une réhabilitation serait en cours? demande-t-elle vivement...

— Ce n'est pas impossible. Il y a long-temps que vous êtes ici?

— Huit mois.

— Quel effet vous faisait votre patron?

Elle rosit, ce qui lui va à ravir.

— Il était très charmant.

— C'est-à-dire?

De rose elle devient rouge, ce qui est bon signe. Toutes les langoustes rougissent quand on les chauffe un peu trop.

— Il... il ne se mettait jamais en colère... Il... il était plein de prévenances...

— Aviez-vous l'impression qu'il était, comment dire, anormal?

Elle s'exclame.

— M. Jérôme? Vous plaisantez!

A ma mine d'examinateur, elle se rend compte que je n'ai pas envie de plaisanter et se reprend :

— Il était très bien, quoi!...

— L'avez-vous vu en compagnie de femmes?

Elle ne rougit plus, mais devient violette.

Vu, pigé, compris, bon Colgate, bonne bourre, à mardi! Elle devait avoir une façon de prendre le courrier qui devait valoir une place assise dans le métro. Il le lui dictait en braille, ou peut-être en morse.

Son embarras étant éloquent, je laisse quimper la rubrique.

— Depuis sa mort, qui a pris la direction de l'usine?

— Son associé, M. Bergeron.

— Il est là?

— Pas encore, il n'arrive jamais avant onze heures car il a un cabinet d'affaires à la Bourse.

Je zieute ma montre spéciale à deux aiguilles (une petite pour indiquer les heures, une grande pour les minutes) la toute dernière nouveauté de l'horlogerie suisse. Elle raconte dix plombes et des.

— Vous fabriquez quoi, ici?

— Des fixations pour skis. La fixation Névéa contre les aléas, vous savez?

— Oh! oui. Les affaires marchent?

— Bien sûr...

Il fait doux dans ce burlingue. Un radiateur à catalyse nous arrose de sa touffeur de serre.

Je décide de goupiller un gentil petit coup

à ma façon. La formule San-Antonio, quoi!
Je pars du principe que plus on est bien avec
les frangines, plus on a de chances d'arriver
à des résultats concrets. Ceux que le Vieux
préfère.

— Ecoutez, mon petit, je vois que vous
êtes en plein travail (elle lisait *Marie France*
lorsque je suis entré) et j'ai une foule de
petites choses à vous demander au sujet de
ce pauvre Boilevent. Je pense que le plus
simple serait que nous dînions ensemble ce
soir, qu'en pensez-vous?

Un peu commotionnée, Mlle Clavier-Uni-
versel. Un flic qui vous prie à tortorer, ça ne
se voit pas tous les jours. Elle rerougit.

— Mais, je...

— Vous n'êtes pas libre?

— C'est pas ça... Je...

— A quelle heure pouvons-nous nous
rencontrer?

C'est le moment de lui vaporiser mon
modèle de bravoure, celui qui emporte le
morceau entre les dents, je veux dire mon
sourire casanovesque 846.

— Je...

— Voyons, mon petit, un pronom personnel n'a jamais constitué une réponse à
une question aussi précise.

Elle sourit, amusée, et bredouille :

— Vous...

— J'en sais d'autres encore, fais-je : *nous,
il, tu...*

Et je mets si fort l'accent sur le « tu » que
la paille de sa chaise commence à roussir.

— Vous comprenez, c'est tellement inat-
tendu...

— Je comprends, mais ne vous laissez pas
abattre par la surprise. Votre petit nom
c'est?...

— Danièle.

— Magnifique, je suis votre lion superbe
et généreux. Que diriez-vous d'un petit
rancart au *Fouquet's?* Sur les choses de
8 heures, hmm?

— J'aimerais mieux plus près de chez
moi, j'habite Maisons-Laffitte et...

— J'adore Maisons. J'ai un copain de
régiment qui tient une boucherie chevaline
là-bas. Il fait fortune en débitant sous forme
de steak les cracks qui se sont cassé la
papatte. Vous habitez chez vos parents?

— Non, chez mon frère. Mais il est aux
sports d'hiver avec sa femme en ce moment,
si vous voulez vous pouvez me prendre à la
maison?

J'enregistre l'invitation. Elle a pour grand

blaze Murat, ma petite princesse, et je vous jure qu'en effet, c'est un bijou. Le frangin habite un pavillon de gardien dans le parc.

— Où allez-vous m'emmener? demande la gentille binoclarde d'une voix mutine.

C'est bien ça les gerces! Voilà dix secondes, quand je l'ai invitée, elle s'est mise à bredouiller comme un vieillard sans dents qui bouffe des lentilles, et maintenant, comprenant que je ne la chambre pas, mademoiselle s'installe dans la situation avec son soutien-poumons à dentelle et ses petites envies rentrées toutes prêtes à sortir.

Je la considère avec l'indulgence qu'on est bien obligé d'accorder au beau sexe si on veut essayer de mourir d'autre chose que d'une maladie nerveuse.

— Où vous voudrez, mon cœur. Je connais une petite auberge du côté de Poissy, avec des rideaux de cretonne et des cuivres encaustiqués, qui ne peut pas ne pas vous plaire.

Ses yeux brillent derrière ses vitraux.

Petite sainte nitouche, va! On lui décernerait son brevet de rosière tout-terrain sur simple présentation de sa frimousse innocente. Et sous ce masque engageant se cache une petite friponne qui doit en savoir plus long que la ligne Moscou-Vladivostok sur la question des tonneaux!

— Je suis sûr qu'on va devenir une paire d'amis. Je ne suis policier que huit heures par jour, vous savez. Les deux autres tiers de ma vie sont à prendre...

Un léger clin d'œil, un tremblement de la lèvre supérieure pour indiquer qu'elle se prête au baiser, et me voilà prêt à décarrer.

Comme je m'avance pour lui serrer la louche, j'avise par la fenêtre l'arrivée d'un visiteur. Le quidam en question vient droit au bureau. Mon sang ne fait qu'un tour de piste, mais il le fait bien et dans un temps record.

— Voilà quelqu'un que je ne veux pas voir! avertis-je. Pas un mot!

Je pousse la première lourde qui s'ouvre, la seule d'ailleurs hormis celle qui donne sur l'extérieur. A peine l'ai-je refermée qu'on toque à la vitre du bureau.

— Entrez! fait la petite Danièle.

Je retiens mon souffle et je m'astique les pavillons pour ne pas perdre une miette de l'entretien.

— M. Bergeron est là? demande une voix d'homme.

— Non, pas encore.

— Je peux attendre, je suppose, ma beauté?

— Eh bien... C'est-à-dire... Il risque d'être en retard...

— J'ai rendez-vous.

— Oh! alors...

Un temps. La môme doit être salement touchée. Votre puissant San-A., mesdames, cherche une issue de secours et n'aperçoit que la fenêtre. Inutile de vous dire qu'en ce début de février elle est fermée.

Je m'en approche, doucement, doucement. Je saisis l'espagnolette, je la tourne comme si je manipulais trois livres de nitroglycérine enveloppées dans du papier de soie, et j'ouvre.

De l'autre côté de la cloison, la voix de la gente Danièle s'écrie :

— Tiens! le voilà!

Je mate en direction de la rue et je vois radiner une bagnole américaine. Elle stoppe devant le portail et un homme élégant en descend. Il porte un chouette pardingue bleu nuit, à col de velours, un bitos et des gants de peau. L'homme d'affaires de l'élite. La couverture de *Man*.

Le cervelet personnel de l'aimable commissaire San-Antonio commence à faire du

survoltage. Il se dit, votre gentil commissaire, qu'il ne disposera que de quelques
secondes pour sortir du bureau. Si j'enjam-
bais la fenêtre maintenant, Bergeron me
verrait. Il faut donc que j'attende qu'il soit
entré dans le bâtiment. C'est de la haute
stratégie, les gars. Si nerfs pas en acier,
s'abstenir. Mon job n'est pas fait pour les
mangeurs de flans et les mollassons qu'on
doit amidonner pour les faire tenir debout.

La porte s'ouvre dans la pièce contiguë.
On parlemente, mais j'ai les nerfs trop
tendus pour réaliser ce qui se dit.

J'ouvre grande la fenêtre et je saute; puis,
sans me presser, je contourne la construction. Ensuite je file d'un pas urgent, la
tronche dans les épaules et le cœur en
grande fiesta.

Pour du nouveau c'est du nouveau. Le zig
qui vient rendre visite à Bergeron, c'est
Alfredo, le souteneur de Marie-Thérèse.

Qu'en pensez-vous, bande de crêpes?

CHAPITRE V

De surprise en surprise

Un petit bistrot de banlieue aussi joyeux qu'une pissotière d'asile de nuit. Le patron a les cheveux blanc sale, de l'emphysème, un gilet de laine ravaudé et le nez d'un homme qui semble avoir bu plus de vin qu'il n'en a vendu. Près du comptoir, un chien malade est couché sur un sac. Le genre de toutou fidèle qui n'a pas plus de pedigree qu'une mouche à miel car son papa c'étaient des cabots d'un autre quartier. Nonobstant sa maladie, il remue la queue en m'apercevant. Le patron, pour sa part, est moins démonstratif. Il me salue d'un hochement de tête et attend que je lui explique mon cas.

— Un rhum-limonade, supplié-je, dans un grand verre, avec un jeton de téléphone. Mais servez-moi le jeton à part, c'est pour manger tout de suite.

Ça fait plaisir de plaisanter avec des gens qui comprennent l'humour. Cette grosse gonfle fait une gueule qui stopperait un enterrement tant elle est affligée et affligeante. Il me jette un jeton nickelé comme un B.O.F. jette un bouton de culotte à un aveugle. Je gagne la cabine située au fond du bistraque et j'ai la joie profonde de lire dans le bois de la porte, gravé au couteau par un artiste de grand talent : « Le patron est cocu. » L'affirmation est peut-être inexacte, elle ne m'en réconforte pas moins. C'est donc d'un index léger que je compose le numéro de la Maison Lustucru. Je dis au standard de me passer Béru et on me le sert *illico* sur un lit de cresson.

— Tu es disponible, Gros?

— De la tête aux pieds, répond l'Engelure.

— Alors, saute dans une troïka maison et arrive à Saint-Denis.

Je lui file l'adresse de mon troquet en lui recommandant de faire fissa. Il certifie que, et je raccroche.

La dernière mouche de l'établissement est en train de se noyer dans mon verre. Magnanime je la repêche et la dépose sur le rade. Il y a en moi une fête à côté de laquelle la Foire du Trône ressemble à une kermesse de village. J'ai le subconscient éclairé au néon, mes frères!

Comme quoi ma chère Félicie avait raison. C'était bien de côté qu'il fallait chercher. Que vient fiche Alfredo dans cette galère? Quel motif l'a amené ici? Je donnerais la moitié de votre compte en banque pour assister à l'entretien qui se déroule présentement dans le burlingue de l'élégant M. Bergeron.

Tout en réfléchissant, je surveille l'impasse. Au fond, il y a la Chevrolet bleue de l'associé de Boilevent. Pas d'autres chignoles. M'est avis qu'Alfredo a laissé sa charrette sur l'avenue. C'est pas le genre de bonhomme qui colle son véhicule dans une impasse. Un bon moment s'écoule, et le valeureux Béru déboule d'une vieille quinze-six. Il m'avise à travers les vitres embuées du bistrot, se précipite et ouvre si brutalement la porte que le bec-de-cane lui reste dans la main.

Toujours très honnête, il le dépose sur le comptoir et couvre les clameurs belliqueuses du taulier en réclamant un grand rouge.

— Qu'est-ce tu maquilles z-ici? s'informe le Mastar en passant sa main douteuse sur son pied à macaroni qu'il a omis de faucher.

— J'attends du monde.

Je ne l'attends pas longtemps. A peine viens-je de parler que je vois sortir Alfredo. Ça se passe comme dans une pièce de théâtre.

— Le duc n'est point t'encore là?

— Justement le voici, Monseigneur.

Je frappe Béru à l'épaule.

— Tu vois ce zig qui s'annonce dans l'impasse?

— Heureusement, sinon je serais chez l'oculisse au lieu d'ici, rétorque l'aimable tas de saindoux.

— Tu vas le prendre en filature. Du doigté, c'est un gars du mitan et il n'est pas tombé de la dernière pluie de roses.

— Tu sais à qui que tu causes, j'espère? se rebiffe le Gravos.

Il vide son godet, écarte le patron qui s'escrime à refixer son bec-de-cane et sort dignement. Je le vois qui reprend sa place au volant de la vieille Citron.

Alfredo débouche sur l'avenue et va droit à une 203 arrêtée sous un arbre. Les deux bagnoles démarrent à deux dixièmes de seconde d'intervalle.

Voilà, c'est paré de ce côté-ci. A San-Antonio de rejouer!

*_**

En me voyant surgir, la môme Danièle à un haut-le-corps et retient *in extremis* un cri de frayeur. On dirait qu'elle se trouve naze à naze avec un fantôme.

Je lui décoche un merveilleux sourire très soigné, avec vue sur les prémolaires; et en même temps, car je suis le genre d'homme tout à fait capable d'exécuter deux choses à la fois (beaucoup de dames vous le certifieront pour peu que vous leur en fassiez la demande en joignant un timbre pour la réponse) en même temps, répété-je, je lui ajuste mon clin d'œil meurtrier pour jour férié et fêtes nationales.

— Pourrais-je parler à M. Bergeron?

— De la part de qui?

Du coup c'est elle qui se retient de rire.

— Police.

Ce disant, je l'interroge d'un hochement de tronche. Mon signe signifie « Ma fuite précipitée a-t-elle eu des conséquences? » La fillette secoue la tête négativement. Ouf!

— Je vous annonce.

Elle va chuchoter dans le bureau voisin. Ça dure le temps de compter jusqu'à treize et demi, ensuite de quoi la jouvencelle binoclée me prie d'entrer.

Il a posé son bada et son lardeuss, Bergeron. Assis devant un dossier, il ressemble à un sénateur américain. Il frise la cinquantaine, sans la boucler. Cheveux argentés, mains manucurées, costar à rayures, chemise blanche, cravate de soie noïre, vous mordez le topo? La perlouse piquée dans sa bavette, croyez-moi, il l'a pas trouvée en bouffant des moules-poulette dans un snack!

Il se lève en me regardant : me regarde en s'inclinant; s'incline en me tendant la main; et me tend la main en me demandant ce que je désire.

Je lui révèle alors : mon nom, ma qualité et le but de ma visite (laquelle mène à la marque par deux buts à zéro).

— Monsieur Bergeron, fais-je, en déposant dans un fauteuil nickelé une bonne partie antérieure de moi-même, monsieur Bergeron, vous avez, je suppose, lu les journaux de ce matin?

— J'en ai en tout cas lu un, admet mon

vis-à-vis en poussant vers moi un coffret à cigares empli de cigarettes.

Je biche une cibiche. Il me présente la flamme de son briquet que je ne connaissais pas et poursuit :

— Je crois deviner l'objet précis de votre visite, monsieur le commissaire. Le fameux sadique s'étant manifesté encore, la police en a conclu que mon pauvre Boilevent était innocent ?

— Innocent est vite dit, rectifié-je. Lorsqu'il a été abattu par un de mes hommes qui a, je l'admets, la détente un peu rapide, il était bel et bien en train d'étrangler une prostituée.

— Ce qui est proprement effarant lorsqu'on connaissait Boilevent.

— Pourquoi ?

— Ce garçon était calme, lucide. Il n'avait rien d'un obsédé sexuel ou d'un maniaque.

— Comment expliquez-vous son acte ?

— Je ne l'explique pas.

Sa voix s'est brusquement durcie. Sa mâchoire se crispe et son regard clair a une lueur hostile. Visiblement il en veut à la police.

— Pourtant les faits sont là, insisté-je.

Votre associé assassinait une péripatéticienne. Selon vous, fréquentait-il ce genre de
heu... personnes?

— Sûrement pas.

— Vous connaissiez sa vie privée?

Bergeron hausse les épaules et écrase sa
cigarette à peine entamée dans un cendrier
en cristal.

— Il ne songeait qu'au travail. Ce garçon
était parti de zéro et il était très ambitieux.

— Vous étiez associés depuis longtemps?

— Quelques années. J'ai un cabinet d'affaires rue de la Bourse, c'est à moi qu'il s'est
adressé pour la constitution de sa société. Il
m'a plu, je l'ai conseillé, puis aidé, et enfin
je me suis associé avec lui.

— Il vivait seul?

— Oui. Oh! de temps à autre il avait une
petite amie dans sa voiture, mais jamais rien
de très sérieux. Le travail, vous dis-je.

— Vous avez repris l'affaire entièrement?

— Pour l'instant je la dirige tant bien que
mal, sur sa lancée. Mais il va falloir trouver
une solution, j'ai d'autres occupations plus
impérieuses, comprenez-vous? Et puis l'industrie n'est pas ma partie.

— Qui hérite de Boilevent?

— Il avait une sœur dans le Midi. Elle est

mariée à un employé de gare, je me suis mis
en rapport avec elle par l'entremise de mon
notaire.

Il se tait et attend que je parle ou que je
parte.

— Eh bien, ce sera tout pour l'instant,
monsieur Bergeron. Me permettez-vous de
visiter l'atelier?

— Je vous en prie. Je vais vous accompa-
gner bien que je ne sois pas un guide très
documenté.

— Ne vous dérangez pas. Les flics, vous
le savez, adorent musarder à leur guise. Il ne
me reste plus qu'à vous demander votre
adresse personnelle pour le cas où...

Il joint ses doigts et murmure :

— Pour le cas où..., monsieur le commissaire?

J'ai un petit flottement, puis je déclare en
riant.

— Pour le cas où... monsieur Bergeron,
tout simplement.

— Je demeure boulevard Berthier, 114.

— Merci.

Pourquoi ai-je le sentiment confus qu'une
sorte de rupture vient de s'opérer? Nous
nous serrons la pogne comme deux boxeurs
avant le combat.

— A bientôt ! lancé-je.

Un nouveau clin d'œil à la petite Danièle. Elle a préparé ma sortie et a refait son plein de rouge Baiser. Elle se tient un peu en biais sur sa chaise pivotante afin de me montrer ses jambes croisées. Franchement, messeigneurs, c'est du sérieux. Elle n'a pas besoin de se mettre de l'antigel dans les guibolles, leur rondeur n'est pas due à l'hypocrisie. Elle a gentiment arrangé la dentelle bleue de sa combinaison de manière qu'elle dépasse un peu la jupe et me porte au rêve.

J'articule à vide :

— A ce soir.

Elle dit « oui » avec ses seins et je la quitte très provisoirement pour la visite des ateliers.

Ils sont une douzaine à marner dans une odeur de ferraille et d'huile chaude. Ma venue fait lever les têtes. Il y a des vieux chpountz à des établis, des plus jeunes à des tours et trois jeunes filles qui jacassent dans le brouhaha en triant des pièces chromées.

Un type en salopette brune avec soixante-quatre pointes Bic dans la poche supérieure et l'air autoritaire du quidam qu'on paie pour en avoir (de l'autorité) fonce sur moi comme une fusée de Cap Kennedy destinée à la Lune fond en direction du Soleil.

— Vous désirez, monsieur?

— Je suis un ami de M. Bergeron. Je visite les lieux.

Dans sa petite tête de contremaître, il se dit que je suis peut-être le prochain patron et le voilà qui se met en huit pour me faire inspecter son antre.

J'écoute son blabla sans y rien piger. Moi, la mécanique, c'est comme le sanscrit : j'y entrave que pouic.

— Ici le polissage. Là les roulements à bille incorporés avec potentiel insurmontable et graticule sous-cutanée...

Il poursuit ses explications détaillées, techniques et plus rasoirs que toute la maison Sunbeam.

Je me farcis le prospectus pendant une demi-heure d'horloge en ayant l'air de me passionner pour la fixation Boilevent. Et je me sauve au moment où le contremaître prétend me faire visiter l'atelier de chromage.

Les locaux sont presque déserts. Seul Pinuche y stagne derrière un bout de mégot qui a déjà été fumé deux fois.

Il surveille la flamme vacillante d'un minuscule réchaud qui empeste l'alcool à brûler. Sur le réchaud, une casserole. Et dans la casserole un liquide indéfinissable, violacé et mousseux.

— Quelle est cette alchimie, Pinuche? m'enquiers-je.

Il tire sur l'extrémité de sa moustache de rat frileux.

— Je me fais un petit vin chaud, je suis tout « grippoteux ».

— Dans ces cas-là, fais-je, rien ne vaut une planque au grand air. Je me propose précisément de te confier une filature, comme à Roubaix!

— Ce serait risquer la pneumonie double, avertit lugubrement le Ramolli.

— A vaincre sans péril on triomphe sans gloire, cité-je.

— T'as beau me réciter Entre-Mac, ronchonne Pinaud, c'est pas ça qui me convaincra.

— Bon, tu vas boire ton vin chaud et filer au turf, bonhomme. Tu finis par ressembler à une médaille. Un de ces jours quelqu'un s'avisera que t'es mort depuis trois mois et tu seras le premier étonné de l'apprendre.

Je griffonne sur une feuille de bloc, le

nom, le signalement et les adresses de
M. Bergeron.

— Occupe-toi de ce gentleman!

Il relit mon bon de commande.

— Qui c'est?

— Quelqu'un de bien. J'aimerais
connaître son emploi du temps et ses fré-
quentations. Va, et que la paix reste avec
toi.

Pinuche boit son vin, s'étouffe, hurle et
m'explique qu'il vient d'avaler son mégot
incandescent par mégarde, ayant omis de le
retirer de ses lèvres au moment d'absorber
son épouvantable mixture.

Le voilà enfin parti. Je demeure seul dans
le bureau fraîchement repeint. Le cas de
Boilevent est de plus en plus passionnant.
J'ai l'impression qu'une toile d'araignée est
tissée en filigrane de l'affaire. Voyons,
bande d'intromis, vous ne trouvez pas stu-
péfiant, vous, que cet Alfredo soit en cheville avec l'associé de Boilevent? Non, ça
vous laisse froids, mes pauvres pingouins! Il
est vrai qu'il n'y a pas plus de matière grise
sous votre gazon à brillantine qu'il n'y a de
provisions sur le compte bancaire d'un
producteur de films.

Enfin, faut s'y faire!

Eh bien, moi, ça me tarabuste, cette histoire. Si j'écoutais les conseils pernicieux de mon petit lutin intérieur j'irais alpaguer l'Alfredo des familles et je l'interviewerais; seulement, entre nous, ce serait peut-être une mauvaise manœuvre, car si mon sens de la psychologie ne me berlure pas, cet oiseau ne doit pas se mettre à table chaque fois qu'on lui refile du grain. La muette, c'est sûrement son hymne favori. Mieux vaut attendre.

La porte s'ouvre sur Pâquerette. Il est joyeux car il vient de découvrir un nouveau régulateur du système glandulaire qui offre l'avantage d'être en vente libre et de ne pas coûter trop cher.

— Du nouveau? je lui demande.

— Le dispositif est en place, commissaire. Il n'est plus que d'attendre. Vous avez lu la presse?

— Pas encore.

— Qu'est-ce que les journalistes nous mettent!

Il soupire nostalgiquement sur le proche passé. La semaine dernière on publiait sa bouille d'avorté à la une des baveux et aujourd'hui on le vilipende.

— Et de votre côté? s'inquiète-t-il, suspicieux.

Ce qui l'intrigue, c'est que j'aie brusquement cessé de faire équipe avec lui. Je ne veux pas le mortifier davantage en lui racontant ma nouvelle piste.

— Le Vieux m'a mis *in extremis* sur une autre affaire, laconis-je.

Là-dessus j'ai le malheur d'éternuer.

Prompt comme l'éclair, Pâquerette sort un tube vert de sa poche. Il le dévisse, fait tomber deux pilules dans le creux de sa main et me les présente.

— Avalez ça, commissaire; vous m'en direz des nouvelles.

CHAPITRE VI

De surprise en surprise (suite)

Huits coups sonnent au beffroi de ma montre lorsque j'arrive à Maisons-Laffitte. Un froid sec fait claquer les branchages du parc. Je franchis la vaste grille et je pars à la recherche du pavillon de Danièle Murat.

Au cours de l'après-midi, j'ai soigneusement préparé mes batteries, comme disait la cuisinière d'un général d'artillerie et je me suis dressé une liste minutieuse des questions que je compte poser à la souris. Mon programme? Il est simple et perfide. L'embarquer dans une hostellerie accueillante. L'éblouir par ma conversation (vous inquiétez pas pour mes chevilles, j'ai les tibias en argent massif), la faire boire en la lutinant; puis l'embarquer pour une croisière dans les plumes avec visites touristiques aux escales.

Là, dans la pénombre propice, je lui poserai, outre son slip, les questions qui me tracassent.

La maison du frangin est modeste. C'est une petite construction en brique rouge érigée à l'entrée d'une vaste propriété. Elle a été conçue pour loger le jardinier, mais le taulier a dû claquer en laissant nibe de fraîche à sa vieille. Alors la vioque a loué ce local, ne pouvant plus s'offrir de jardinier. Enfin, moi, je vois le topo commak, si je me goure mettez-le de côté, je le ferai prendre par un commissionnaire.

De la lumière filtre par les volets du premier et du rez-de-chaussée. Mademoiselle doit être en train de se faire une beauté. Elle se déguise en miss Monde, la chérie, afin de séduire le Casanova du passage à tabac.

Je pousse la grille et je vais toquer à la puerta. La radio sévit à l'intérieur. Elle joue « Ce n'est plus ton petit doigt », marche américaine interprétée par les Grands Chanteurs à la jambe de bois.

La clameur est telle que la mignonne n'entend pas mes heurts.

Je prends donc le parti d'ouvrir la lourde, ce qui n'offre aucune difficulté.

A peine ai-je franchi le seuil, que je m'arrête, pétrifié par la surprise. La môme Daniel gît au bas de l'escalier, la tête sur le carrelage du vestibule. Elle a la coquille fêlée et une mare de sang achève de se figer. Elle est en combinaison affriolante. L'armure à sensation, les gars! En d'autres circonstances elle filerait des vapeurs à Denis Papin soi-même.

Je m'agenouille auprès de la pauvrette et je glisse la main entre ses roberts. Partie sans laisser d'adresse! Je regarde attentivement la blessure. *A priori* elle paraît banale. La gosse a chuté dans l'escadrin et s'est ouvert le dôme. Je grimpe au premier et j'avise les lunettes de Danièle sur le palier.

Ça me laisse perplexe. Sans ses hublots, elle ne devait pas y voir à douze centimètres. Donc, elle ne se serait pas aventurée dans l'escalier sans ses verres.

Bizarre!

Je visite les deux pièces du haut. L'une est la chambre du frère; l'autre, celle de la feue secrétaire de feu Boilevent. La porte en est restée ouverte. J'inspecte les lieux soigneusement. Sur la commode Charles X, revue et corrigée par Lévitan, j'aperçois un petit flacon de parfum renversé.

C'est pas de la petite bière, comme disait un entrepreneur de pompes funèbres en allant prendre les mesures du cercueil destiné au géant de chez Pinder. Mademoiselle se filait sur le derme Bagatelle 69-69, ni plus ni moins.

Elle voulait l'ensorceler, le brave San-Antonio. Hélas! le hasard — ou quelqu'un de vicieux — en a décidé autrement.

Je parcours la chambre en long, en large, en diagonale et dans le sens des aiguilles d'une montre. J'investigue à la Sherlock, à la Maigret, à la San-Antonio. Et je finis par découvrir un léger quelque chose aussi insignifiant qu'un discours de parlementaire.

Il s'agit de deux petites traces d'humidité derrière les rideaux de la fenêtre, sur le plancher. De deux choses l'une, comme disait le type à qui on avait fait l'ablation d'une précieuse qui était devenue ridicule : ou je me goure ou je me goure pas. Si je me goure pas, je suis prêt à parier un acte de Molière contre un acte notarié qu'un type a séjourné là avec des semelles humides. Ce type a attendu l'arrivée de la gosse. Il a maté son déshabillage. Puis, tandis qu'elle se lotionnait à sa coiffeuse, il lui a sauté sur le dossard. Dans la lutte, le petit flacon est tombé. Il a alors traîné la gosse sur le palier. Elle essayait de lui échapper et, en faisant des efforts pour cela, a perdu ses besicles sans que son agresseur s'en aperçoive. Vous mordez, mes petits invertébrés, avec vos cervelles trouées comme des harmonicas?

Bon, je poursuis « l'esposé ». Lorsqu'ils ont été au sommet de l'escadrin, le type en question a balancé la gosse de toutes ses forces dans le vide. Elle s'est assommée. Si elle n'était pas cannée illico, il ne restait plus à l'agresseur qu'à lui cogner la frime sur le carrelage jusqu'à ce qu'elle reste... sur le carreau.

Maintenant, je le répète, il est possible que la gosse se soit fichue elle-même par-dessus bord. Souvent, pour se casser la hure on n'a pas besoin d'être deux. Quoi qu'il en soit, elle est morte, et de ce fait ne peut plus me renseigner...

Pauvre môme !

Je lui adresse un dernier regard, un ultime souvenir, puis je repars sans éteindre ni la lumière ni la radio.

La nuit est de plus en plus froide. Sur la strasse on a collé un panneau : « Attention! verglas » Tu parles !

*
* *

Pinuche est au bureau, claquant des dents avec énergie.

— Cette fois, j'ai une congestion, me déclare-t-il avec un je ne sais quoi de provocant.

— Et Bergeron?

— Il a passé l'après-midi à son bureau rue de la Bourse, ensuite il est rentré chez lui. Il a rentré sa voiture au garage. Donc il ne va pas ressortir. Tu n'espérais pas que j'allais passer la nuit devant sa porte?

— Pinaud, murmuré-je, l'ombre de la retraite anticipée se profile à ton horizon. Tu manques de conscience professionnelle.

Alors là c'est le grand cri dans un établissement où ce genre de manifestation vocale n'est point rare.

— Je ne te permets pas, brame le diminué. Tout autre que moi-même serait dans son lit en ce moment, avec des sulfamides...

La sonnerie du bignou interrompt sa diatribe médico-revendicative.

C'est Béru.

Il est de mauvais poil.

— Dis donc, marmonne-t-il, ton Jules que tu m'as donné à suivre...

— Eh bien?

— Je ne peux pas le suivre!

— Explique?

— Pour suiv' quéqu'un, il faut qu'y se déplace, non? Cézigue, c'est un vrai bec de gaz. Voilà cinq heures qu'il est assis dans un bistrot de l'avenue Junot, à taper les cartons avec d'autres potes. Y se lève que pour aller pisser. Moi je tapine sur le trottoir, à essayer de mater ses carrés de neuf à travers les rideaux...

— Il est allé directo au bistraque en partant de Saint-Denis?

— Non. L'est allé dans un restaurant du boulevard Pereire rejoindre une grande blonde avec qui qu'il a bouffé. Ensuite il l'a déposée rue Godot-de-Mauroy où qu'elle exerce. Après de quoi il s'est amené dans son bistrot. Que fais-je?

— Attends, mon joufflu, je gamberge.

C'est toujours dans les cas d'urgence que les trouvailles géniales affluent à mon esprit.

— Dis voir, la bagnole du mec est dans les parages?

— Elle est près du cimetière Montmartre, oui, à cause?

— Tu vas aller la lui faucher.

— Hein?

— Sur les 203 y a pas de clé de contact, j'espère que notre petit camarade n'a pas mis un antivol sur la sienne, ce qui serait un comble.

— Qu'est-ce que j'en fais?

— Tu la driveras jusqu'au bois de Boulogne, à l'angle de la route de la porte Saint-James et de la route de Neuilly, tu vois où c'est?

— Je vois, ensuite?

— Ensuite tu passeras au bureau et l'abominable Pinaud qui est à plat te filera les instructions nécessaires pour la surveillance d'un client à lui.

— Quand c'est que je bouffe dans tout ça?

— Tu auras droit à des sandwiches, je téléphone au bistrot d'en bas pour qu'on te prépare une collation.

— Une collation! mugit le Diplodocus. Est-ce que j'ai une gueule à me nourrir de collations!

Je raccroche sans en écouter davantage.

Ça y est, cette fois on est parti pour la gloire. J'ordonne à Pinuchet d'attendre son collègue et je saute dans ma M.G. Direction rue Godot-de-Mauroy.

En arrivant sur le terrain de manœuvre de Marie-Thérèse, j'ai un coup au cœur en n'apercevant pas cette honnête ouvrière de l'amour. Est-elle repartie dans ses foyers? Auquel cas mes projets tombent à l'eau avec un bruit mat.

Je suis en train de désespérer à cent francs de la seconde lorsqu'elle réapparaît. Elle sort d'un petit hôtel flanqué d'un vieux monsieur grave qui vient de se payer de l'extase après avoir caché sa Légion d'honneur, son alliance et son portefeuille dans ses chaussettes.

Elle lui serre civilement la main en lui disant : « Bonsoir, mon lapin, bonne rentrée, prends pas froid » et va pour reprendre son activité lorsque j'attire son attention par un petit appel de phares. Elle reconnaît ma chignole et s'approche avec aux labiales un sourire dont un pied à coulisse seul pourrait nous donner une idée précise des dimensions.

— Tiens! c'est vous! Quel bon vent?

— Monte, belle blonde!

Elle s'introduit dans mon baquet et, tandis que je démarre, me chuchote :

— Vous savez, j'suis blonde que quand je sors de chez le coiffeur.

Je m'abstiens de lui dire que sa vie privée ne m'intéresse pas. Elle serait déçue car je la soupçonne d'éprouver un faible pour le valeureux policier qui lui sauva la vie.

— Où on va? demande-t-elle, voyant que je ne réagis pas.

— Casser une croûte ensemble, si vous n'y voyez pas d'inconvénient.

Elle n'en revient pas.

— Vous blaguez?

— Pas du tout!

— C'est que...

— Oui?

— Alfredo vient me relever à dix heures. S'il me voit pas...

— Je vais lui téléphoner pour lui dire que j'ai besoin de votre déposition.

Du coup, entièrement rassurée, elle se laisse aller à une joie délirante.

— Vous alors, vous êtes un poulet pas ordinaire. Ah! on peut dire que vous êtes quelqu'un...

Tout en l'écoutant babiller, je retourne au bureau pour arrêter mon dispositif d'urgence. Je la laisse dans la chignole en lui annonçant que je monte téléphoner à son Jules.

Le Gros vient d'arriver et il rouscaille en apprenant qu'il va passer une partie de la notche dans une bagnole à surveiller l'immeuble d'un bourgeois.

— Tu as fait ce que je t'ai dit?

— Oui, mon prince.

— Tu as pu engourdir la bagnole facilement?

— Un peu. Elle t'attend.

— Bon.

Je passe dans le bureau voisin. Pâquerette et Mathias, le rouquin devisent sur un sujet toujours d'actualité : le cancer. Pâquerette, qui bouquine tous les journaux médicaux, en sait long comme une pièce de Claudel sur la question et fait à son collègue une véritable conférence.

— Boulot, mes amis, interviens-je, la question chou-fleur n'est, Dieu merci, pas encore à l'ordre du jour.

— Savoir, marmonne sinistrement Pâquerette. J'ai un début de goitre sur la gauche.

— Faites du violon, mon vieux, ça le soutiendra. Je viens de m'embarquer dans une aventure que je n'ai pas le temps de vous narrer. Pâquerette, vous prendrez une bagnole et irez au bois de Boulogne. A peu près à l'angle de la route de la Porte Saint-James et de la route de Neuilly, vous verrez une 203 arrêtée. Vous vous posterez à quelque distance de ce véhicule et vous empêcherez quiconque d'en approcher excepté moi, compris?

— Bien, commissaire.

— Toi, Mathias, à partir de dix plombes et demie, tu iras avenue Junot dans un bar qui s'appelle le « Bar Beau ». Là tu demanderas après un certain Alfredo. S'il n'est pas encore arrivé tu l'attendras. Et quand tu seras en présence du monsieur tu l'arrêteras.

— Je n'ai pas de mandat d'amener...

— Je m'en fous, amène-le-moi tout de même. D'ailleurs il te suivra, tu lui diras simplement que c'est au sujet de Marie-Thérèse et il ne fera pas de rébécca.

« Voilà, c'est tout, mes fils. A bientôt. »

*
* *

— Vous en avez mis du temps, remarque M.-T. lorsque je remonte en M.G. Alfredo ruait dans les brancards?

— Même pas. Seulement son bistrot sonnait pas libre. On y va?

Je drive la Grande Mademoiselle rue Monsieur-le-Prince, dans une boîte à couscous réputée. On s'installe dans un décor mauresque devant des porcifs de semoule et de mouton qui, elles, sont plutôt de style Haute-Epoque. La douce enfant est à la fête. Elle se confie à moi, le mascara aidant.

Une vie en coin de rue bombardée, les gars. Le dabe picolait, la mère faisait le ménage des autres et des enfants à tous ceux qui lui passaient la commande. Du vrai Georges Ohnet en bouteille! A quatorze ans, M.-T. se faisait déberlinguer par le louchébem du quartier, etc.

La vie commune avec Alfredo? Tout ce qu'il y a de commun! Le monsieur aux écailles est un égocentriste qui ne songe qu'à sa satisfaction personnelle. Il la dérouille juste pour se faire la pogne, par hygiène, car il faut bien faire un peu de culture physique lorsqu'on veut se conserver en forme.

J'arrose son verbiage à tout va. Lorsqu'elle attaque sa dernière saucisse au piment elle est vachement partie, l'arpenteuse d'asphalte. J'en arrive à la question qui me démange comme une éruption d'eczéma sur la montagne pelée.

— Dis, beauté, ce Boilevent qui a essayé de t'étrangler, tu ne l'avais jamais vu?

Elle lève sur moi de grands yeux aussi limpides que deux flaques d'eau dans une cour de ferme.

— Jamais. A cause?

— Je me disais qu'il t'avait peut-être déjà grimpée?

— Penses-tu!

Elle se reprend.

— Tu permets que je te tutoie? bredouille-t-elle.

— Je vous en prie.

Elle avance sa main de masseuse sur ma jambe de zouave et me file une caresse délicate, hors tarif.

— Tu veux que je te dise, mon petit flic? Toi t'es un marrant. Tu ressembles pas aux autres. D'abord t'es beau gosse. Ensuite t'as de l'esprit... des bonnes manières... du charme...

— Arrête! dis-je, je ne veux pas me marida.

En loucedé je louche sur ma montre. Maintenant il est dix plombes. M'est avis, mes joyeux croque-morts, qu'il est temps de penser aux choses sérieuses.

Je puise dans ma poche deux petites

pilules. J'en pose une devant l'assiette vide de la gosse et une autre devant la mienne.

— Qué Zaco? s'inquiète l'exploratrice de slips Eminence.

— Un truc épatant pour dissiper les effets du couscous.

Je nous verse une nouvelle rasade et, avec la dextérité d'un prestidigitateur je fais mine de gober ma pilule.

— Chaque fois que je bouffe épicé, je me tape une praline comme ça. C'est mon pharmago qui m'a conseillé ce produit. Grâce à ça, tu peux avaler deux kilos de clous de tapissier sans t'en apercevoir...

Elle se marre et avale la pilule. C'est étrange comme les gens, à notre époque, sont friands de pharmacie. C'est à qui fera becqueter à l'autre son produit personnel.

— Encore un peu de vitamine B 12, chère amie?

— Essayez de prendre du Sanogyl. Attendez, je vais vous l'écrire.

Bientôt, au lieu d'envoyer des gâteries enrubannées aux gonzesses, on leur filera un tube de somnifère ou un flacon de sulfamides en y joignant sa carte.

« Pour votre pylore défaillant » ou bien « Dragées de ce purgatif chaque matin, pour

vous obliger de penser à moi » ou encore,
(pour les anniversaires) « Ce tube de vermi-
fuge contient autant de cachets que vous
avez de printemps. »

Croyez-moi, mes frères, l'avenir n'appar-
tient ni aux confiseurs ni aux fleuristes, mais
aux pharmaciens. On vendra des produits
blancs pour les fiançailles et les mariages,
bleus ou roses pour les jeunes filles, cerclés
pour les joueurs du Racing et noirs pour les
personnes en deuil.

Le mal du siècle, c'est ça : l'homme a pris
conscience de l'organe. Et c'est la bagnole
qui est à l'origine de cette phobie. En se
développant, l'industrie automobile a
inculqué au citoyen du vingtième siècle
comme à celui du vingtième arrondissement
le principe du « fonctionnement ».

Le garagiste, c'est le grand révélateur de
l'après-guerre. Il a appris à l'homme de la
rue ce qu'est un carburateur, des bougies,
des cylindres, des vis platinées, des amortisseurs, des freins à disque, un filtre à huile,
une bobine, une courroie de ventilateur, une
batterie et un arbre à came. Avant la saison
des fours crématoires, l'homme ne se posait
pas de questions. Quand il possédait une
auto, il se contentait de verser de l'eau par

un orifice, de l'huile par un autre, de
l'essence par un troisième. De même, pour
vivre, il mangeait, dormait, s'achetait du
papier hygiénique sans chercher à démulti-
plier ces différentes fonctions. Et puis, un
jour, il a ouvert le capot de sa bagnole parce
que son garagiste l'avait pris pour un c... et
ç'a été le commencement de la fin. Il a eu
LA révélation. Il a su que le corps humain
est un moteur. Son optique s'est trouvée
chamboulée. Il s'est dit, le rescapé des
premières années 40 : bielles = jambes; allu-
mage = cerveau; bobine = foie; vis platinées = cœur, etc. Notre ère venait de subir
une transformation déterminante : le garagiste venait d'introduire le pharmacien !

*

— A quoi tu penses, mon loup? s'inquiète M.-T. d'une voix visqueuse.

— Je pense, fais-je, sobrement. Je ne suis
pas seulement le Casanova de la Rousse, je
suis également son Pascal.

Là-dessus, comme j'ai une voix bien
timbrée, je demande l'addition. Comme j'ai
de l'autorité, je l'obtiens. Comme j'ai de
l'honnêteté, je la règle.

— Tu viens, ma douceur?

— Où? susurre la friponne patentée.

Qu'est-ce qu'elle s'imagine? Que je vais aller lui jouer du luth?

— On va faire une petite balade pour dire de s'aérer les éponges.

— Comme tu voudras, assure cette langoureuse langouste.

On déhotte au ralenti. Au bout de cinq cents mètres, Mlle « Tu-montes-chéri » commence à dodeliner de la tête.

Au bout d'un kilomètre, elle en écrase sérieusement. C'est pas du boulot de grande série, mais du solide produit artisanal. Vous pouvez tirer dessus, ça ne bouge pas. Ma pilule était de first quality et l'aimable personne en a pour plusieurs heures à se faire porter absente.

Je mets toute la gomme en direction du Bois.

*
* *

L'allée est déserte. Seule, la petite tache rouge du feu de position de la 203 troue l'obscurité. J'arrête ma chignole devant celle d'Alfredo, je descends et je vais ouvrir la portière de la 203 côté passager.

Illico, une ombre jaillit de l'ombre. Une ombre qui pue l'alcool camphré et l'antiseptique. Celle du souffreteux Pâquerette.

— Haut les mains! enjoint-il.

Connaissant sa maestria dans l'art de manier un soufflant, je m'empresse de mugir :

— Pas de blague, Pâquerette!

— Oh! commissaire... Dans cette obscurité...

— Ecoutez, mon vieux, fulminé-je, perdez l'habitude de balancer le potage sur le premier gars qui vous paraît se balader avec une carte d'identité périmée.

Il se renfrogne.

— Aidez-moi, dis-je.

— A quoi faire?

— A transporter une belle endormie de ma voiture dans celle-là.

Il ne pose pas de question, mais il a une exclamation en identifiant la blonde trottineuse de la rue Godot (en attendant) Mauroy.

— Mais...

— Oui.

— Qu'est-ce que ça veut dire? Elle est évanouie?

— Endormie seulement.

Nous transbahutons M.-T. dans la chignole de son julot.

Je l'allonge sur la banquette dans une posture qui pourrait faire croire que la pétasse est morte.

— Continuez de monter la faction fais-je, je reviendrai plus tard.

— Puis-je me permettre de vous demander, commissaire, ce que signifie...

— Nous sommes en plein domaine expérimental, mon cher. Je vous raconterai ça à tête reposée.

Maintenant direction burlingue. Je me sens un peu angoissé. Je crois que la découverte du cadavre de la petite Danièle est à l'origine de cette espèce de meurtrissure que je porte à l'âme.

Et puis le couscous me pèse un peu, pour tout vous dire. Poésie pas morte, vous voyez ?

Onze heures moins des. La grande cabane est silencieuse comme une carpe congelée. Les lumières des couloirs ont quelque chose de funèbre. Tout me paraît infiniment gris et misérable dans cet antre administratif. L'immeuble sent Bérurier et il n'y fait pas très chaud.

Je demande au standard ce qu'il a de nouveau pour moi. Il répond qu'aux dernières nouvelles Béru annonçait qu'il partait pour la gare de Lyon.

— Il n'a pas eu le temps d'en ajouter plus, assure le préposé au bigophone, il devait filer quelqu'un et ça urgeait.

— C'est tout ?

— Oui.

— Mathias est de retour ?

— Avec un client, oui. Un petit noiraud à la mine inquiétante.

— Ça colle, merci.

Je grimpe chez moi. Mon inspecteur et Alfredo sont là, en effet. Ils fument sans parler, assis de part et d'autre de mon bureau.

A mon entrée, Mathias seul se lève. Il me désigne son vis-à-vis d'un petit hochement de menton. C'est tout. Pas de blabla, le rouquin est un précis. Il agit et ses actes parlent pour lui.

Je balance un petit signe de tête à Alfredo et je m'assieds en face de lui tandis que Mathias, du regard, me demande s'il doit disparaître ou rester.

Je lui fais signe de rester, alors il prend une chaise et se place à califourchon dessus. Un petit temps mort pour permettre aux capitaines des deux équipes de se consulter.

Alfredo attaque (c'est bon signe) :

— Alors?

Si vous voyiez votre San-Antonio, mes chéries, vous en auriez des frissons, depuis le tendon d'Achille jusqu'aux sinus frontaux. Sa mine implacable number one.

Le genre « Grand Justicier », style : « Ma vengeance sera terrible. »

Je lui plante mes Marchal dans ses Visseaux et c'est la lutte pour savoir lequel se mettra en code le premier. Ça dure un temps que je ne puis évaluer, et enfin — ô victoire (in english Victory)! le dur bat des ramasse-miettes en grommelant.

— Ben quoi, expliquez-vous!

— Tu voudrais que je te fasse un dessin?

Seulement Alfredo, c'est pas une demi-porcif. Il n'a pas du jus de pomme dans les veines.

— Ecoutez, m'sieur le commissaire. Je pige rien de rien à vos giries. Si vous avez des trucs à me reprocher, envoyez, j'aimerais savoir.

— Me joue pas « Roger-la-Honte », Alfredo. Ça n'arrangerait pas ton cas.

Il blêmit un chouïa et s'exclame :

— Et c'est quoi, mon cas?

— Tu es dans de sales draps, mon pote. Tellement sales que ça ne sera pas la peine de les changer et qu'ils pourront très bien te servir de suaire.

Il se dresse, furieux. Je fais un léger signe à Mathias et v'là mon rouquin qui lui administre un coup de manche à gigot qui ferait hurler la salle du Central.

— Du calme, messieurs, sermonné-je, à la papa.

Alfredo se frotte les mandibules en roulant des agathes toutes blanches.

— Je suis pas d'accord! affirme-t-il.

— Eh ben justement, on va tâcher de trouver un terrain d'entente.

Je fais claquer des doigts.

— Petite promenade éducative pour commencer. Passe-lui les poucettes, Mathias.

— Vous n'avez pas le droit! affirme sombrement Alfredo.

— Le propre des hommes forts, c'est de s'arroger des droits qu'ils n'ont pas, philosophé-je. Et une fois qu'ils les ont pris, ces droits sont à eux, tu piges?

Démonté, il me regarde d'un œil indécis et murmure :

— Je sais pas ce qui vous prend, commissaire. Mais ce que je sais, c'est que vous faites fausse route !

— Si nous la faisons ensemble, cette fausse route, y aura que demi-mal. Allez, ouste ! on s'en va promener.

— Quelle bagnole prenons-nous ? questionne Mathias.

— La Prairie, décidé-je, pour des vaches c'est tout indiqué, pas vrai, Fredo ?

Il ne répond pas.

CHAPITRE VII

De surprise en surprise (3)

Quelques bagnoles de partousards draguent entre la porte de Madrid et la porte Maillot. Ces messieurs-dames se font de l'œil avec leurs phares. On voit les chignoles stopper, un monsieur descendre et s'approcher de celle qui est derrière pour prendre langue. Mais ça ne s'arrange pas. Doit y avoir des questions matérielles là-dessous. Le plénipotentiaire a l'air tellement d'un homme d'affaires qu'il doit faire imprimer son numéro de compte courant postal sur ses cartes de visite.

C'est Mathias qui pilote. Je lui indique par où il faut passer tandis que le souteneur de M.-T. tète son mégot éteint avec l'air d'un zig qui, à son tour, a besoin de soutien.

Enfin voici la 203 du mac. Je ne le perds

pas des yeux. Il tique salement en reconnaissant son zinzin plein de roues.

— Tu as déjà vu cette tire, Alfredo? lui
demandé-je d'une voix plus suave que le
miel de Mme Carmen Tessier.

— Nature, c'est la mienne.

— Qu'est-ce qu'elle fout ici?

— On me l'a secouée dans la soirée, des
petits tocards qui voulaient faire une
virouse, probable, et qui l'ont larguée ici.

— Les petits tocards dont tu parles fau-
chent de préférence des voitures sport plutôt
que ta 203 de maçon.

— Pour une fois ils s'en sont contentés!

Nous sommes stoppés à quelques mètres
du véhicule. Mathias, qui connaît mes
méthodes insolites, se demande bien où je
veux en venir. Il pianote nerveusement son
volant en sifflotant un petit air de valse
anglaise. Le gars Alfredo aussi est troublé. Il
se doute bien qu'un coup fourré pas commun est en marche. Tel un gibier traqué, il
attend, l'œil froid, l'oreille dressée.

— Descendons! ordonné-je. Je veux te
montrer quelque chose...

Sans un mot, on s'extrait de la Prairie
verte. Le sieur Pâquerette, ex-de-la-Mon-
daine, a dû reconnaître le véhicule maison

car il ne s'avance pas au renaud (je devrais dire à la Renault).

La nuit est glaciale. Je me dis soudain que la môme M.-T. a dû choper un bath de rhume dans cette guinde pas chauffée. Fraudra que je dise à Pâquerette de lui filer des antigrippines qualifiées.

— Avance !

Alfredo ronchonne.

— C'est quand même un peu raide ! On me fauche mon os et c'est mézigue qui a droit aux poucettes et aux mandales dans la gueule !

— Avance, je te dis...

Nous voici à la 203. J'ouvre la portière et le plafonnier s'éclaire. La tapineuse est toujours dans la même posture, inerte, les jambes de travers, la tête en avant contre la portière. Alfredo reconnaît sa rombière et sursaute.

— Mince, qu'est-ce que ça veut dire ?

— Ça veut dire que tu l'as butée, eh, patate !

— Elle est morte ?

— Qu'est-ce que tu crois ? Qu'elle fait du yoga ?

Et comme je crains qu'il n'évente la supercherie, — il suffirait que la fille eût un tressaillement ou un soupir — je le propulse vers la Prairie d'un solide coup de savate dans l'entresol.

Il est mis K.-O. par la stupeur, le frère.

— C'est pas croyable, je rêve, qu'il bredouille.

— Arrête ta chanson, elle figure déjà à mon répertoire, Alfredo...

Je lui colle une mornifle qui lui fait éternuer des étincelles.

— Dis donc, tu fais un drôle de fermier, toi, dans ton genre! V'là que tu abats le cheptel, à ces heures?

— Moi! qu'il proteste. Vous charriez, commissaire. Ou vous me prenez pour qui? Pour une truffe? J'irais buter ma gagneuse? Et je la laisserais dans ma calèche, pardessus le marka!

— Parfaitement, mon pote. Et tu veux que je te dise pourquoi t'as agi ainsi? Pour détourner les soupçons, justement. Tu t'es dit, les poulets penseront qu'on ne peut pas être cloche à ce point et que je suis victime d'une vengeance. Voilà, mon fils.

Il manque d'air.

— Bon Dieu, c'est du ciné pour moins de seize ans que vous me faites là, commissaire! Faudrait que je soye dingue pour démolir une souris qui me faisait une rente viagère de soixante tickets par jour!

— T'as fait primer ta sécurité avant l'oseille, Alfredo.

Il se tait un petit bout de moment, me regarde, avale sa salive cotonneuse et murmure :

— Comment ça, ma sécurité?

— L'affaire Boilevent, mon lapin. T'as eu peur que la môme Marie-Thérèse que je fréquentais depuis l'incident croque le morcif, hein?

— Je ne sais pas ce que vous voulez dire!

Je lui vote un coup de boule dans les gencives. Il crache rouge, recompte ses dominos du bout de la menteuse, et murmure :

— C'est pas des manières!

— Tu vas voir, Fredo, j'en ai d'autres bien plus chouettes, elles sont tellement efficaces qu'on m'a demandé d'en faire un recueil.

Je le balance dans la Prairie comme un sac de linge sale.

— On va aller bavarder de ça entre quatre murs insonorisés.

Comme je m'apprête à prendre place dans le véhicule, Mathias se ramène de la 203.

— On laisse le cadavre sur place, tout seul? demanda-t-il.

Je me fends le pébroque et je l'entraîne à l'écart pour lui chuchoter :

— Primo, le cadavre n'est pas seul, le valeureux Pâquerette veille sur lui dans la bagnole que tu vois stationnée là-bas. Deuxio, ce cadavre n'est pas un cadavre. La môme n'est qu'endormie par mes soins.

Mathias plonge dans cent bougies son regard loyal d'honnête poulardin scrupuleux.

— Pourquoi dites-vous ça, m'sieur le commissaire? Je viens de la palper, elle est tout ce qu'il y a de morte, votre souris.

Je me précipite dans la 203. D'une main affolée, je palpe la gosse. Mathias ne m'a pas menti : Miss Trottoir est aussi morte que le bitume qu'elle avait coutume d'arpenter.

Je la zyeute de plus près et je m'aperçois qu'elle a été étranglée.

CHAPITRE VIII

La fin des haricots

Voilà quelques années il m'est arrivé une aventure curieuse. Plusieurs nuits de suite j'ai rêvé que je roulais sur les quais en direction de la gare de Lyon et qu'un petit monsieur barbu surgissait de ma gauche au volant d'une Dyna Panhard et m'emboutissait. Or, un matin, comme je me rendais précisément à la gare de Lyon pour y accueillir Félicie qui revenait de chez une parente, une Dyna Panhard surgit de la place du Châtelet et percuta mon aile avant. Pendant les premières secondes qui suivirent l'accident, je sus ce qu'était la quatrième dimension. Heureusement, ce n'était pas un petit barbu qui pilotait l'auto, mais une dame à qui un examinateur étourdi avait donné par mégarde le permis de conduire.

En constatant la mort de M.-T., j'éprouve

cette même impression bizarre de libération absolue. Je vagabonde dans une région comateuse, sans attache avec notre planète et ses réalités.

Avec des mouvements de somnambule rhumatisant, je referme la portière et me dirige vers l'auto de Pâquerette.

Celle-ci est vide. Sur la banquette ne demeurent qu'un tube de Symphoryl et des enveloppes de cellophane ayant recelé des cachets. Pas plus de Pâquerette que de lapin blanc dans le chapeau haut de forme du duc d'Edimbourg.

— Pâquerette! Pâquerette!

On dirait que j'entonne une ronde enfantine. Une Lancia dans laquelle se trouvent un monsieur et une dame stoppe à ma hauteur, et le conducteur me demande si j'accepterais de prendre un pot avec eux. Je lui réponds sobrement d'aller se faire considérer chez les Grecs, et il me traite de goujat.

Je décide alors de ne pas laisser moisir Alfredo dans les parages. Inutile de lui donner le spectacle affligeant de mon affolement. Je reviens à la Prairie. A l'aide d'une seconde paire de menottes, j'attache Alfredo au strapontin arrière.

— Embarque le client à la Maison mère, Mathias, fais-je rudement. Tu le boucles au secret dans le petit cabanon spécial. Ensuite tu reviens avec une ambulance. Le tout au triple galop.

Son impressionnant démarrage me prouve qu'il est fermement disposé à m'obéir.

Je me mets alors en devoir d'examiner les lieux. J'aime bien le mystère, à la condition cependant qu'il ne ridiculise pas trop. Or, jusqu'à preuve du contraire, votre adorable San-Antonio, mesdames, est en train de jouer les connards de grand style. Je m'occupe de deux gonzesses au cours de cette damnée soirée, et toutes deux se font buter presque à mon nez! Ça ne peut plus durer comme ça, sinon ce serait la fin des haricots! (Ouf! je me demandais comment j'allais justifier le titre de ce chef-d'œuvre!)

Le mystère le plus pressant pour le quart de plombe, c'est celui de Pâquerette volatilisé. J'examine sa chignole et je n'y découvre pas la moindre trace suspecte. Je reviens à la 203 et, à l'aide de mon stylo électrique j'inspecte soigneusement la carrosserie. Je découvre alors deux petites taches de sang sur le montant de la portière avant.

Je promène le mince rayon lumineux sur l'asphalte de la route. Une espèce de serpent inerte gît sous le véhicule. Il s'agit du cache-nez de l'inspecteur disparu. Voilà qui me trouble. Aurait-on kidnappé mon valeureux gobeur de cachets ? Je vois à peu près comment les choses ont pu se produire : cette nuit, le sadique rôdait dans le bois. Voyant une voiture abandonnée, il s'en est approché. Une femme endormie, c'était une proie rêvée pour ses instincts morbides. Il avait déjà fait un collier de phalanges à Mlle Marie-Thérèse lorsque mon Pâquerette s'est pointé. Seulement avec le savon que je venais de lui passer, l'inspecteur s'est abstenu de tirer. Du coup, mal lui en a pris, car l'agresseur lui a sauté sur le colbak et tout porte à croire que le chétif poulet n'a pas dû avoir le dessus...

Je continue de sonder les abords. Bien m'en prend : une boîte de suppositoires gît dans le gazon que le gel rend craquant comme des biscottes (1).

---

(1) Vous ai-je dit que Pâquerette est particulièrement hanté par le suppositoire ? N'a-t-il pas, sous un nom d'emprunt, présenté au Concours Lépine une mitraillette à suppositoires pouvant tirer coup par coup, ou par rafale (dans les hôpitaux et les familles

Je joue au Petit Poucet. Grâce à ses chers produits pharmaceutiques, je vais peut-être découvrir où l'ogre a entraîné le frêle policier.

Je parcours une douzaine de mètres en direction d'un bocage et j'avise une masse sombre dans l'herbe, au ras d'un buisson. Pâquerette dans le gazon! Tableau allégorique. Je palpe sa poitrine de jeune fille nubile. Son palpitant répond présent à l'appel. Le faiseau de ma lampe me permet d'évaluer le désastre. Le sadique n'y est pas allé avec l'intérieur de l'écrin du dos de la cuiller! Je ne sais pas avec quoi il a cogné mon subordonné, toujours est-il que le pauvre chéri a le pare-brise en marmelade.

Il a sûrement le nez cassé. La partie inférieure de son visage est pleine de sang. Le raisin a dégouliné sur son plastron. Un vrai gâchis.

Je soulève la pauvre frite de ma mauviette.

— Eh! Pâquerette! fais-je. Comment vous sentez-vous, mon petit vieux?

nombreuses). Malheureusement son invention a été boycottée à la suite d'une pétition entreprise par Charpini.

Mais il est groggy. La haute dose, je vous dis.

Vous parlez d'une pommade! Si j'ai le malheur de faire au Vieux un rapport détaillé, il va tellement se foutre en rogne que le cuir de son sous-main en aura la chair de poule.

Vous ne lui trouvez pas mauvaise mine, à votre San-A., mes toutes belles? Il pose des pièges à loup dont les mâchoires se referment sur lui. Bilan de l'expérience : deux filles clamsées, un inspecteur de qualité grièvement blessé et la réputation du célèbre San-A. aussi souillée qu'un couvre-lit d'hôtel de passe.

L'arrivée opportune de l'ambulance met fin à mes sombres pensées. Le gars Mathias radine avec un ambulancier porteur d'un brancard.

Je lui désigne Pâquerette.

— Embarquez notre petit camarade à l'hosto avant de porter la fille à la morgue.

— Que lui est-il arrivé?

— Il a dû prendre le criminel en flagrant délit et l'autre lui a porté un coup de goumi en pleine poire. Il va pouvoir gober des pilules, le pauvre gars. Lorsque tu auras achevé de véhiculer ces clients, viens me rejoindre à la Taule. Ne manque pas de dire à l'hôpital qu'on m'alerte dès que Pâquerette aura retrouvé ses esprits.

— S'il les retrouve! murmure Mathias en faisant la grimace.

J'adresse une supplique au ciel, en urgent et avec accusé de réception, pour lui demander d'épargner Pâquerette. Ensuite de quoi je grimpe dans l'auto de celui-ci pour rallier le burlingue.

*
* *

Le petit cabanon spécial est situé au sous-sol de la maison Purodor. Il plairait beaucoup à Louis XI, ce doux monarque qui transformait son bitos en chapelle ardente et les chênes de son parc en figuiers de Barbarie.

Il n'a, en fait d'ouverture, que la porte dans laquelle les services d'hygiène ont percé une ouverture format carte postale pour permettre au locataire de renifler l'air du large.

Dans le noir de ce cachot, l'honorable Alfredo a eu le temps de se recueillir et le loisir d'évoquer la mémoire de Marie-Thérèse.

J'actionne le commutateur extérieur. La lumière blanche d'une grosse ampoule fait ciller le truand. Il me considère à travers l'éblouissement de ses prunelles.

— Eh bien, Fredo? soupiré-je, en refermant la porte, on se la paie, cette petite explication amiable?

Il hausse les épaules.

— Qu'est-ce que je peux vous dire! grogne le zigomard. J'ai l'impression de devenir maboul. On me fauche ma pompe, puis on m'arrête et on me montre le cadavre de ma môme dans la voiture volée. Et j'y comprends balpeau!

Il a les poignets entravés par les poucettes que le sage Mathias a volontairement omis de lui ôter. Il y a rien qui abat le moral d'un homme que de porter ce genre de bracelet.

— Tu veux que je te dise, Alfredo? Et si c'était toi, le sadique?

Le julot se met à ricaner.

— Pardine! C'est l'évidence même!

— Si j'insiste dans cette direction je peux fort bien te faire porter le bada. Tu veux parier?

Il me regarde froidement.

— Je me demande où vous voulez en venir, m'sieur le commissaire.

L'éclat de ses yeux sombres me gêne un peu, pourtant je ne me laisse pas démonter.

— Tu vas passer aux assiettes, mon joli. Et je suis prêt à jurer qu'un jour prochain tu te découvriras un point commun avec Louis XVI.

Il a dû piocher l'Histoire de France, car il blêmit.

— Dites, charriez pas!

— T'as un alibi entre dix heures moins le quart et dix heures et demie?

— Eh bien...

— Je t'écoute, mets-y de l'huile de langue, ça fonctionnera mieux!

— J'étais au bistrot de l'avenue Junot. Je suis sorti pour aller relever ma bergère : plus de voiture! Je m'ai dit que c'était peut-être une blague, alors je me suis tapé un bahut jusqu'à la rue Godot. Elle y était pas, j'ai cru qu'elle était au charbon et j'ai attendu. Au bout de vingt minutes je suis allé me rencarder à l'hôtel. On m'a appris qu'elle s'y trouvait pas. J'en ai déduit qu'elle s'était fait ramener par un clille, des fois ça arrivait. Elle s'en faisait à la frissonnante, la pauvre môme, une bonne gagneuse, vous savez, consciencieuse, saine et tout. Elle épongeait des hommes qui la prenaient à la chouette et jouaient les galantins. Donc, j'ai retourné à mon club. Le temps de constater qu'elle y était pas, votre rouquin me sautait en douceur en m'annonçant que vous vouliez me causer rapport à Marie-Thé. Je l'ai suivi sans bavure, il peut vous le dire...

Je ricane, comme un Méphisto d'opéra :

— Présentée sur ce plateau-là, ta version paraît comestible, Alfredo. Seulement il y a un petit quelque chose qui foutra tout par terre, je te l'annonce.

— Ah oui ?

— Oui. Lorsque les jurés sauront que t'étais en cheville avec Boilevent, ils mordront à ton hameçon comme un brochet à une sucette au miel !

Cette fois il est poinçonné. J'ai manœuvré comme un chef, le laissant reprendre confiance. Maintenant faut l'opérer à chaud.

— Ta gagneuse est morte dans ta voiture, à un moment où tu n'as pas plus d'alibi qu'un pet dans le métro aux heures de pointe. Compte sur moi et sur le juge d'instruction pour rendre l'évidence évidente aux jurés.

Il ne répond pas.

— Maintenant on jette les brèmes sur le

tapis, Alfredo. Je te dis ce que je sais, tu me dis ce que tu sais et on voit ce qu'on peut faire pour ta santé. D'ac?

Il ne répond pas, mais j'en conclus que son silence est une sorte d'espèce d'acquiescement.

— Ce matin, j'étais à Saint-Denis quand tu es allé rendre visite à Bergeron.

Voilà. Pas la peine de lui broder des napperons, il a compris. Cet homme secret qui ne l'aurait pas ouverte en d'autres circonstances se sent happé par une toile d'araignée impitoyable, visqueuse, astringente.

Il hausse les épaules.

— Ecoutez, c'est trop crêpe, ce qui arrive. Je suis pas un petit Jésus, d'accord, mais dans tout ce pataquès j'ai le nez propre.

— N'écris pas la préface, Alfredo, ça fait trop m'as-tu-vu. Balance du consistant, je suis pressé.

— J'ai connu Boilevent en Indochine, au moment où le gouvernement français se grouillait de dételer la carriole. J'avais une occupation là-bas.

— Ah oui?

— Oh! c'était pas le Pérou...

— Non, mais c'était l'Indochine, pays du

riz et des piastres, pas vrai, bonhomme?

— Enfin, bref...

— Oui, bref, ensuite?

— Donc, j'ai fait la connaissance de Boilevent. Il était sous-off. On a sympathisé.

— Il trempait dans tes combines?

— Oh! non. Une relation de bar.

Il vaut mieux ne pas insister.

— Enchaîne!

— De retour en France on est restés un bout d'années sans se revoir. Et puis un jour on s'est rencontrés en pleins Champs-Élysées. Une coïncidence.

— Alors?

— On a bu le pot du souvenir ensemble.

— Près de la Flamme sacrée, c'était tout indiqué.

— Il venait de monter une petite affaire de je ne sais pas quoi à Saint-Denis. Paraît que ça marchait, il était content. On s'est quittés en se jurant de se revoir. Il m'avait refilé son adresse, moi je lui avais indiqué le bar où je tiens mes assises.

— Prononce pas ce mot, il risque de te porter la cerise!

Alfredo croise deux de ses doigts pour conjurer le sort et poursuit :

— On est encore restés sans se voir

quelque temps, et voilà qu'un soir, la veille de sa mort, Boilevent rapplique à mon troquet avec une mine qu'on aurait dit celle d'un déterré. Il regardait autour de lui comme s'il aurait eu quinze diables au panier... Moi je lui fais boire un coup de remontant et je lui demande de s'expliquer, mais cézigue reste bouche cousue. Pas moyen de lui en arracher une. La seule chose qu'il consent à me dire, c'est qu'il venait de lui arriver un grand malheur, qu'il courait un danger terrible, et que la seule manière qu'il voyait de se planquer c'était de se faire enchrister par les matuches sous un prétesque assez grave pour qu'on le fourre dare-dare au ballon.

Ce que me bonnit l'aimable truand me surprend au plus haut point. Avouez que ce n'est pas banal! Un honnête industriel qui rêve de se faire emballer!

— D'où l'attentat contre ta gerce?

— Exact. L'idée est de moi. Avec cette histoire de sadique baladeur, c'était tout indiqué. Boilevent faisait semblant de molester une fille et on l'arrêtait, mathématique, non?

— Encore fallait-il que les flics fussent là.

— Vous croyez que j'avais pas remarqué

la planque de la rue Godot? L'inspecteur Pâquerette, on ne connaît que lui et ses cache-nez tricotés main.

— Ensuite?

— Tout de suite ça n'a pas emballé Boilevent, ce coup de passer pour un maniaque. Il trouvait la combine un peu trop forte, trop dangereuse. J'y ait fait observer qu'il aurait pas de mal à se disculper quand il voudrait : lui suffirait de produire des alibis pour les meurtres antérieurs... (On voit qu'il a eu maille à partir avec la justice, Alfredo son vocabulaire s'est enrichi. « Il n'y a que maille à partir qui m'aille » comme disait un quidam à qui la moutarde montait au nez.)

— D'accord, cher scénariste, mais pour celui-ci?

— C'est ce qu'il m'a fait remarquer, et alors c'est lui qui a eu l'idée...

— Laquelle?

— Il a voulu que Marie-Thé lui écrive un mot disant que cette agression était bidon, etc.

— Parce qu'elle était dans la combine?

— *Naturlich;* vous pensez pas qu'elle aurait été assez patate pour suivre un zig en bagnole avec ce qui se passait dans Paris?

— Elle a bien caché son jeu.

— Dame, quand elle a vu que vous assaisonniez le gars Boilevent, elle a eu les jetons. L'affaire se corsait vachement, vous comprenez?

— Dis-moi, ce mot, elle l'a écrit?

— Oui.

— Elle risquait de graves ennuis. Insulte à magistrat, pour une radeuse, ça mouille!

Il hausse les épaules.

— Dans la vie faut savoir prendre des risques. Et puis Boilevent avait lâché une petite pincée.

— Le chiffre?

Il hésite.

— Cinq cents pions!

— Mince, fallait que ça urge, son cinéma. T'es sûr qu'il ne t'a pas dit de quoi il retournait?

— Je le jure sur la mémoire de Marie-Thérèse.

Un nouveau silence nous sépare. Chacun fait le petit bilan provisoire de la situation.

— Maintenant, chapitre deux, Alfredo. Tes rapports avec Bergeron?

Il se racle le gosier.

— Quand j'ai vu que la petite combine

avait tourné au caca, moi aussi j'ai eu des vapeurs.

— A cause?

— Bédame, à cause de la fameuse lettre que ma nana avait pondue à Boilevent. Je m'ai dit : « Si la Poule met la main dessus, ça risque de chauffer pour les plumes de ma fille et pour moi si ses nerfs flanchent. » En plus que Boilevent était mort, y avait cette mystérieuse affaire qui le tracassait. J'ai pensé que les ronzes qui le cernaient au point qu'il veuille se planquer au château des Cauchemars pour messieurs seuls penseraient que j'avais été son complice et ça me défrisait.

— Oui?

— Oui. Hier, lorsque vous vous êtes rabattu à mon bar, je me suis dit : « Ton numéro vient de sortir, fils. Les bourres ont dégauchi cette lettre. Ils y vont à la sournoise pour essayer d'en apprendre davantage, mais le moment où que les Athéniens s'atteignirent approche. »

— Bref, tu as cru que je te menais en barlu avec mon projet d'assistance mutuelle?

— Xactement. Il faisait si peu sérieux...

Je me mords les lèvres. Dire que j'étais sincère! Verserais-je dans l'utopie?

— Après?

— J'ai gambergé à tout ça dans ma petite tronche, j'ai consulté des potes qualifiés et ils m'ont conseillé de ne pas rester à attendre l'averse.

— Et tu as compté sur Bergeron pour qu'il te prête un parapluie?

— Dans un sens, oui.

— Aboule ton raisonnement, fils.

— Je me suis rencardé sur la vie de Boilevent. J'ai su qu'il avait un associé et je me suis dit que ce monsieur saurait peut-être quel si grave danger courait mon pote.

« Alors j'y ai demandé un rembour. »

— Il te l'a accordé sans histoire?

— Je lui ai dit au bigophone que j'étais un ancien ami à Boilevent et que j'avais des choses à lui parler sur Jérôme.

— Comment s'est déroulé l'entretien?

— Pas mal. J'ai joué banco et j'ai tout expliqué au daron comme je viens de vous l'expliquer.

— Quelle attitude a-t-il eue?

— Il a semblé intéressé, mais juste ce qu'il fallait.

— Tu as eu l'impression qu'il ne te croyait pas?

Alfredo réfléchit. Je sens qu'il pèse le pour et le contre en toute objectivité. A la fin il secoue sa belle tête méditerranéenne.

— Impossible à dire. Il se comportait comme s'il me croyait, mais j'avais idée que c'était par politesse.

— Ensuite, qu'a-t-il dit?

— Il chiquait au méprisant. Il m'a fait comme ça : « J'espère pour vous que la police n'est pas en possession de ce pacte insensé. »

« — Et si elle y est? je lui réponds. »

Il s'est levé pour me montrer qu'il m'avait assez visionné.

« — En ce cas voyez quelqu'un de compétent, je ne suis pas avocat. »

La réaction de Bergeron me semble bonne.

— Tu ne lui as pas demandé s'il avait une idée du fameux danger couru par son associé?

— Si, bien sûr.

— Sa réponse?

— Il s'est tapé le front avec le doigt comme pour me faire croire que le gars Jérôme était frapadingue, et entre nous,

m'sieur le commissaire, je me demande si ça
serait pas ça la vérité. J'en ai vu, des potes
de la colonie qui devenaient jojos une fois
de retour.

— En somme, votre entrevue s'est termi-
née par un non-lieu?

— C'est ça.

— Vous vous êtes quittés comment?

— Assez sèchement. Ma visite l'emballait
pas. Il a dû avoir peur que je lui compose
une chansonnette.

Je balance une bourrade à Alfredo.

— Et dans le fond, voyou, c'est pas un
peu ça que tu étais allé renifler? Si Bergeron
n'avait pas eu cette attitude ferme, tu te
mettais aux grandes orgues et tu lui jouais
ton grand morcif intitulé « Passez la mornifle », non?

Il a une réponse évasive.

— Faut toujours que vous vous montiez
le job, les flics!

J'ai la certitude initme que Monsieur m'a
dit tout ce qu'il savait.

— Je vais te faire conduire dans une
cellote plus confortable, décidé-je.

Il se rembrunit, ce qui est un exploit, vu la
teinte de ses crins.

— Parce que vous me conservez au mitard?

— Ben alors, qu'est-ce que tu croyais, bonhomme? Qu'on allait te faire reconduire chez toi dans une voiture de maître?

— Si vous me bouclez, je veux un bavard!

— Demain on prendra les dispositions. Il est très tard, tu sais. Même les vrais barbeaux font dodo.

Je le fais driver à l'étage supérieur, dans la cage à poule. Là, au moins, il y a de la lumière, de la chaleur et un banc pour s'allonger.

— T'auras qu'à dire ce que tu prends au petit déjeuner, plaisanté-je, on est à ta disposition.

*
* *

Mathias rentre avec des flocons de neige dans ses crins incandescents. On s'étonne que sa tignasse rousse ne les fasse pas fondre aussitôt.

— Saloperie de temps, rouspète-t-il. Le froid a cessé d'un seul coup et voilà qu'il s'est mis à en tomber des paquets!

— Comment va Pâquerette?

— Pas mal. Il a repris connaissance à

l'hosto et j'ai pu enregistrer une première déclaration.

Mathias s'ébroue, pose son imper doublé et tire de ses profondes un petit carnet à brochure spirale.

Il parcourt ses notes de son regard d'aigle.

— Voilà. Pâquerette surveillait l'autre voiture depuis la sienne. A un moment donné, il a vu une silhouette sortir d'un fourré. Il est formel, l'assassin n'était pas en auto, s'il en avait une il l'avait laissée autre part.

J'interromps Mathias.

— Lui as-tu demandé s'il avait remarqué une bagnole en train de draguer dans l'allée avant l'apparition du meurtrier?

— Oui. Il m'a répondu qu'il y avait beaucoup d'autos rôdeuses dans ce coin. C'était l'heure des partouses. Il n'en a pas remarqué une spécialement.

— Continue.

— L'homme en question s'est approché une première fois de la 203 et a jeté un regard à l'intérieur.

« Il s'est éloigné, et Pâquerette a cru qu'il partait pour de bon. Mais quelques secondes plus tard, l'homme est revenu sur ses pas. Il a regardé autour de lui, puis d'un bond il a ouvert la portière et s'est penché dans l'auto, sans y monter pourtant. »

Il raconte bien, le gars Mathias. Je parie qu'il devait avoir de bonnes notes en compofran au lycée.

— Tu me passionnes, ensuite?

— Pâquerette est alors intervenu. Seulement, il n'a pas pris son revolver, car, affirme-t-il...

— Je sais, tranché-je, je l'ai enguirlandé à ce sujet; passons.

— L'homme ne l'a pas entendu venir. Il était presque couché sur la fille et il l'étranglait. Il paraît que Pâquerette a eu toutes les peines du monde à lui faire lâcher prise. L'autre se trouvait dans un état second, quoi!

« Tout à coup il s'est redressé et a fait front. Pâquerette affirme que l'autre avait une telle expression qu'il a eu peur. »

— Dieu soit loué! m'écrié-je, enfin quelqu'un qui l'a vu de près. Son signalement?

— Tout de suite, m'sieur le commissaire, je l'ai enregistré à part. Je suppose que...

— En effet, tu vas le faire diffuser partout. Dès demain, qu'un dessinateur du labo aille au chevet de Pâquerette pour faire de l'homme un portrait robot. Je t'écoute.

— Taille moyenne.

— Ça commence mal.

L'autre continue avec la voix impersonnelle d'un huissier :

— Très brun. Le regard sombre. Il aurait une paupière un peu tombante, les lèvres minces, plusieurs dents en or, Il portait un pardessus assez léger.

Mathias cherche dans son gousset et dépose quelque chose sur mon bureau. Ce quelque chose est un bouton de corozo, beige, avec des moirures grisâtres.

— Dans la lutte il a arraché ce bouton à son agresseur. C'est l'interne de nuit qui l'a trouvé dans la main crispée de Pâquerette. Le pauvre vieux ne l'avait pas lâché!

— Merveilleux, assuré-je. Le hasard est vraiment étonnant, Mathias. Depuis des semaines, tous les flics de France et de Navarre traquent le sadique. On met sur pied un dispositif du feu de Dieu. Et c'est au moment où on dresse un piège pour un autre gibier que ce fauve vient bouffer l'appât!

— Oui, c'est curieux.

— La suite de la bagarre?

— Oh! ça a été rapide. Pâquerette est un bon tireur, mais pour ce qui est des prises de catch il vaut mieux aller chercher Duranton. L'autre l'a mis K.-O. d'un coup de tête. Ensuite il l'a chopé par les cheveux et lui a cogné la boule contre le montant de la portière afin de le finir. Puis, sans doute pour éviter que l'alarme ne fût donnée trop vite, l'agresseur l'a traîné dans les taillis où vous l'avez trouvé.

Je ne peux m'empêcher de sourire. On devient cynique dans la profession, surtout lorsqu'on a passé une journée pareille, aussi riche en émotions fortes et en coups fourrés.

— Pauvre Pâquerette! On dirait un dessin de Peynet dans son genre. Il a beaucoup de bobo?

— Le toubib pense qu'il a le nez cassé, mais il ne peut se prononcer avant de lui avoir fait une radio.

— Eh bien, attendons la suite. Je crois qu'on peut aller se coucher.

Je décroche le tubophone :

— Pas de nouvelles de Bérurier?

— Aucune, m'sieur le commissaire. Il a dû prendre un train, non?

— C'est probable, merci. S'il appelait, prévenez-moi à mon domicile.

— Entendu.

Je raccroche.

— Allons boire le dernier de la journée, proposé-je à Mathias, je crève de soif depuis le temps que je m'aiguise la menteuse sans mouiller la meule.

CHAPITRE IX

Et la fête continue!

— A votre santé, fait Mathias en levant son verre.

Il ne boit pas, car mon air hermétique le surprend. En effet, depuis quelques secondes une image se tortille dans la cocotte-minute où mijotent mes idées.

— Quelque chose de cassé, m'sieur le commissaire?

— De cassé, non, réponds-je, sibyllin, mais peut-être bien d'arraché.

Il va pour questionner, mais déjà, le surprenant San-Antonio a vidé son godet, l'a posé sur le guéridon de marbre et s'est levé avec la promptitude d'un Anglais auquel on jouerait ce que Bérurier a baptisé «Le goût suave du singe» (1).

(1) Les moins cornichons de mes lecteurs auront compris qu'il s'agit du « God save the King ». Provisoirement appelé outre-Manche « God save the Queen ».

— Attends-moi un moment, fils, j'ai oublié quelque chose.

Je retraverse la chaussée et je pénètre comme un dingue dans la salle de garde où mijote ce vieil Alfredo des familles.

Le truand qui a l'habitude des tuiles et qui sait en prendre son parti est allongé sur une banquette rembourrée en cœur de châtaignier.

Les yeux clos, il essaie de roupiller, malgré la lumière et la conversation édifiante de deux intellectuels habillés en gardiens de la paix, lesquels se racontent une partie de pêche.

Je contemple un instant Alfredo. Ratatiné dans son pardessus, il me fait penser à un enfant. Il a ce je ne sais quoi de misérable et d'abandonné qu'ont certains mômes lorsqu'ils dorment. Quand il pionce, le dur se ramollit. Les années de crime s'abolissent et on retrouve l'être initial, celui qui ne savait pas encore que la vie était aussi salope mais qui le pressentait confusément.

Enfin, c'est plus la peine de s'attendrir. Les jeux sont faits.

— Alfredo! appelé-je.

Il ouvre les yeux, me reconnaît et sa physionomie se durcit.

— Qu'est-ce que vous me voulez encore?

— Lève-toi.

Il prend son temps, ne pigeant pas où je veux en venir. Néanmoins il obéit. Je l'examine à travers la grille. Il manque un bouton à son pardessus. Un bouton du haut qui n'était cousu là que pour faire pendant avec ceux qu'il boutonne. Voilà ce qui me travaillait le couvercle au troquet : je me suis souvenu brusquement qu'il manquait un bouton à Alfredo. Un rapide regard aux autres me renseigne. C'est bien le bouton absent qu'on a trouvé dans la main de Pâquerette.

— Vous voulez ma photo? qu'il pétarde le dur.

— Si je voulais ta photo, ce serait pour la mettre dans mes gogues, riposté-je. Et en ce cas je n'aurais qu'à me la faire apporter des Dossiers.

Là-dessus je fais demi-tour.

Certains d'entre vous, un tantinet plus futés que les autres, se demanderont pourquoi je ne me remets pas au travail sur Alfredo après avoir fait une constatation aussi importante.

A ceux-là, et à ceux-là seulement, je dirai que j'en ai ma claque et qu'on ne fait plus

du bon turbin lorsqu'on est fatigué. Ceci
constituera le primo. Pour le deuxio, j'ajou-
terai que je commence vertigineusement à
perdre le peu de latin qui me reste. Car en
somme, si j'analyse les faits, je suis forcé de
conclure qu'Alfredo est l'agresseur de
Pâquerette. Or la chose me paraît impossible « a priori ». *Alfredo ne savait pas qu'on
lui volait sa tire et surtout ne pouvait pas la
retrouver aussi rapidement.*

Seulement, je sais par expérience qu'il
faut se méfier, dans mon job, des impossibi-
lités *a priori*. Certaines choses, que l'on juge
irréalisables au départ, se révèlent normales,
une fois qu'on est en possession d'un com-
plément d'information.

Tenez, une hypothèse est envisageable par
exemple. Au moment où le gros Béru a
chouravé la chignole d'Alfredo, supposez
qu'un aminche d'icelui soit survenu. Il
reconnaît le véhicule de son pote. Dans le
mitan on ne gueule pas au charron lorsque
quelqu'un essaie de vous arnaquer; tout se
passe dans le silence et la dignité. L'ami en
question se met à filer le « voleur ». Il
constate que Béru largue le véhicule dans le
Bois. Alors il revient à bride abattue préve-
nir Alfredo. Ce dernier vient pour récupérer

sa charrette et, stupeur! trouve sa pétasse endormie. Il se dit qu'on mettra ce meurtre sur le râble du sadique. Vous suivez la démonstration du Maître?

Bon. Là-dessus, Pâquerette amène son nez bourré de Goménol. Il ne pèse pas lourd dans les pognes d'Alfredo. Celui-ci se le paie dans les conditions que vous savez et, dard-dard se ramène rue Caulaincourt. C.Q.F.D.

Donc, je viens de vous démontrer que tout était possible; l'impossible plus que le reste. Un petit bravo pour encourager l'artiste, mesdames et messieurs... Merci!

Un nouveau glass avec Mathias, et c'est le retour au bercail.

Il est très tard lorsque j'arrive à la maison, mais je vois de la lumière chez Félicie. A peine suis-je dans la maison que sa porte s'ouvre et qu'elle apparaît au haut de l'escalier, dans son vieux peignoir de pilou.

— C'est toi, mon petit?

— Oui, m'man.

Ses yeux inquiets mesurent ma fatigue.

— Tu as mangé?

— Oui.

— Si tu as encore faim il reste du bœuf en

daube. J'en ai pour deux minutes à te le faire chauffer.

— D'accord pour une portion.

Ces repas nocturnes, ce sont, je crois bien, les meilleurs moments de ma vie. Je mange à la cuisine. Un bon coup de bordeaux, à ces heures, c'est le meilleur des somnifères.

Félicie me regarde manger amoureusement en buvant un reste de café. Comme toutes les mères, elle adore constater que je me nourris bien. La bouffe n'est-elle pas la vraie manifestation de la vie?

— Comment le trouves-tu, Antoine?

— Sensas.

— Plus c'est réchauffé, meilleur c'est.

— C'est vrai. Ces couennes sont formidables.

— Mon charcutier me les prépare spécialement.

Il y a un silence.

— Tu veux un peu de moutarde?

— Pas la peine, c'est trop bon comme ça.

— Il y a un gâteau de riz, toi qui l'aime tant. Je t'en coupe une tranche?

— Si tu veux, mais je vais prendre du poids.

Elle glousse d'aise. C'est jamais ma bascule qui lui fera peur à Félicie. Comme tous les gens de sa campagne natale, elle croit que plus on est lourd mieux on se porte.

— Ça marche, ton enquête sur le sadique?

— Je n'en sais rien. Il se passe tellement de choses incroyables...

Elle meurt de curiosité mais elle ne me pose aucune question. J'achève ma portion de daube et en termes concis, je lui relate les événements de la journée. Elle en oublie de boire son fond de café.

— C'est horrible, tout cela, qu'en penses-tu?

— Pas grand-chose pour l'instant. L'eau est trop troublée pour qu'on puisse voir les poissons. Il faut laisser reposer, tu comprends?

— Tu penses que c'est cet Alfredo qui...?

— Impossible à dire dans l'immédiat.

J'avale mon gâteau de riz, ce qui la ravit. Je lui en redemande, ce qui l'enchante; après quoi je lui fais une grosse bise et je monte me zoner.

Ouf! y a rien de tel qu'un pucier quand on en a classe de ses contemporains et de leurs turpitudes.

* * *

— Antoine!

Je me débats dans des limbes brumeux.
Puis j'émerge. M'man est debout au pied de
mon lit, toute fraîche et sentant le savon.

— Je suis navrée de te réveiller, mon
pauvre grand : téléphone, M. Bérurier, il
paraît que ça urge.

Du coup je saute de mon usine à rêves et
je dégringole au rez-de-chaussée.

M. Bérurier!

Tiens! au fait, c'est vrai : m'man est la
seule personne au monde qui appelle le
Gros, Monsieur.

Je chope l'écouteur en bâillant comme
une entrée de métro.

— J'écoute...

Un gigantesque éternuement me répond.
Puis l'organe de Béru se met à trompetter :

— Te voilà tout de même? C'est dégueu-
lasse de penser que tu te fais du lard dans les
toiles pendant que moi je voyageais toute la
nuit.

— Où es-tu?

— A Moutiers.

Je suis ahuri.

— Qu'est-ce que tu fiches à Moutiers, Gros?

— Et il le demande encore! Je suis ton zig, le Bergeron. C'est bien ce que tu m'as ordonné, non?

— Raconte!

— Hier dans la soirée, il est parti de chez lui. C't'un radio-taxi qu'est venu le ramasser. J'ai tout de suite gaffé qu'il partait en voyage. Quand un mec qu'a une bagnole part en taxi, c'est qu'il va à une gare.

— Bravo! monsieur Sherlock Holmes, poursuivez!

— L'est allé à la gare de Lyon.

— Seul?

— Bien sûr. L'a foncé à la consigne et a retiré deux valises et une paire de skis. Ensuite il a pris le train pour Bourg-Saint-Maurice. C'était du peu au jus : le bolide décarrait dans huit minutes. J'ai galopé prendre un billet, puis j'ai téléphoné à la Poule, mais je m'ai aperçu que c'était trop juste et j'ai pas pu donner d'explications. Je me suis cogné le dur en seconde entre un curé et un ménage de maçons italiens qu'avait trois gosses; tu mords la croisière?

— Après?

— Pendant ce temps, ton Bergeron de

mes choses se prélassait en couchette. Ce matin à six plombes on vient de débarquer à Moutiers où il fait un froid à faire dérailler le Transsibérien!

— Pauvre bonhomme!

— Fous-toi de moi, ça me réconforte!

— Alors, que se passe-t-il?

— Bergeron a demandé s'il y avait des taxis pour Courchevel. Comme y en avait pas encore, il a pris un ticket pour le car qui doit grimper là-haut dans vingt minutes. Qu'est-ce que je fais?

— Tu le suis et tu ne le perds pas de vue!

— Mais où veux-tu que je descende?

— Tu ne vas pas descendre, Gros, au contraire, tu vas montrer à 1850 mètres d'altitude.

— Très spirituel. J'ai pas de place retenue et comme bagage j'ai juste le *France-Soir* d'hier. J'suis en costume et en souliers de ville.

« Tu me vois radiner dans une station de sports d'hiver? »

Je considère le problème, puis, avec ma pertinence coutumière, je tranche la question.

— Ecoute, bonhomme. Tu vas aller à Courchevel et tu te pointeras à l'*Hôtel des*

Grandes Alpes. Les patrons sont des amis à moi. Je vais leur téléphoner pour leur dire de t'accueillir avec des cris de liesse et de te préparer une chambre. En arrivant tu prendras un bon bain, ça te reposera.

— Dis pas de c..., proteste Bérurier. Y a aut'chose : je suis raide comme une barre fixe. J'avais juste assez d'artiche pour mon bif. Et encore j'ai dû puiser dans ma réserve personnelle, celle que je mets dans ma chaussette.

— Je n'aurais pas voulu être à la place du zouave qui t'a fait la monnaie!

— Si tu ne me drives pas des fonds, je serai obligé de me faire rapatrier par le consulat de France en Savoie.

— Tu vas avoir des fonds. Un mandat télégraphique en urgent partira à l'ouverture des postes. Tiens-moi au courant de la suite.

— Allez, je te quitte, faut que j'aille finir mon petit déjeuner : j'ai mon bol de vin chaud qui refroidit.

Et il raccroche.

— Rien de cassé? s'inquiète Félicie.

— Non. Béru est à Moutiers. L'associé de Boilevent est parti faire du ski à Courchevel.

— Tu crois que c'est une bonne piste?

— Je ne crois rien, m'man, mais je prends les précautions d'usage...

Là-dessus, je remonte prendre mon bain.

Une heure plus tard, je suis sur le pied de guerre. Fringué comme un milord, bichonné, parfumé, j'attaque ma journée par le bon bout. Le cas bérurien est réglé : on l'attend aux *Grandes Alpes* et des fonds lui seront expédiés d'ici une heure. Je décide de passer à l'hôpital pour prendre des nouvelles de Pâquerette.

Le roi de la pharmacie au détail ressemble à la momie de Ramsès II, en moins frais. Ce qu'on voit de lui à travers ses bandelettes est d'un joli vert. Il me regarde arriver et son regard s'humidifie.

— Ah! commissaire, quelle aventure!

L'infirmière qui m'a convoyé me chuchote :

— Ne le faites pas trop parler, il a été médiciné.

— Pâquerette, dis-je, votre gars d'hier était plutôt petit, paraît-il.

— Oui.

— Avait-il le type méditerranéen?

Il hésite.

— Vous savez, dans le noir... Et puis tout s'est passé si vite.

— Vous avez parlé à Mathias de dents en or.

C'est là que le bât me blesse, comprenez-vous, tas d'immondices? Car Alfredo, lui, n'a pas de chailles bidons. Ses tabourets sont garantis d'origine et ils luisent comme ceux d'un carnassier (merci, Colgate!).

— Oui, murmure Pâquerette. Je les voyais briller dans sa bouche.

Du coup ça peut très bien être le gars Frédo. Je vous le répète : il a les ratiches tellement étincelantes que lorsqu'il rit on a l'impression qu'un garnement vous balance un rayon de soleil dans la vitrine à l'aide d'un miroir.

— Mathias m'a dit aussi qu'il avait une paupière tombante?

— Oui. Il fermait un œil en me molestant.

— Vous reconnaîtriez le type sur photo?

— Je crois.

— Alors, dans un instant je vais vous en montrer une, j'ai téléphoné à Pinaud pour lui demander de l'apporter ici.

— Vous êtes sur une piste? demande l'amoché.

— Peut-être bien.

Réapparition de l'infirmière : une petite

blonde haute comme ça, mais avec des compartiments étanches sur l'avant et des amortisseurs sur l'arrière. Elle annonce l'arrivée du révérend Pinaud. Je dis d'introduire le messager et Pinuchet inscrit sa silhouette hivernale dans la chambre.

Il ressemble plus que jamais à un parapluie à la renverse dessiné par Bernard Buffet. Il pend du haut en bas : son nez enrichi d'une stalactite, sa moustache, son mégot, les bords de son bitos, son pardingue trop grand, son cache-nez de laine pendent.

— Alors, du bobo? demande-t-il à Pâquerette en serrant mollement sa dextre fluide.

— Assez, oui, assure Pâquerette. J'ai envie de demander ma mise à la retraite anticipée, nous annonce-t-il. Ce métier, faut savoir le feu sacré. Je suis de tempérament trop délicat, et après une agression comme celle-ci... J'espère que l'assurance ne se fera pas trop tirer l'oreille. Je compte bien obtenir une forte indemnité pour incapacité permanente.

Pinaud dit qu'avec les assureurs on n'est sûr de rien. Puis il annonce qu'il a une bronchite, ce qui paraît épouvanter Pâquerette.

— N'approchez pas de mon lit, supplie le blessé. Si mon cas se compliquait d'une affection pulmonaire, je pourrais y rester.

Pinaud est un peu vexé. Il prétend qu'il n'est malade que pour son usage personnel et qu'il n'a pas pour habitude de distribuer ses maladies à tout un chacun, comme d'autres distribuent des prospectus.

San-A. qui commence à s'impatienter réclame la photo de M. Alfredo Buisetti.

— Tiens, dit Pinuche.

Il s'explore les bas-fonds, en retire une photo qu'il me tend. Je bigle l'image et j'y vois un gros bébé assis sur un coussin. Il suce son pouce d'un air stupide.

— Dis, fais-je, mon client s'est rétréci au lavage ou bien il s'est déshydraté?

Pinaud reconnaît sa bévue.

— C'est la photo de mon petit-neveu. Le fils au fils de ma sœur, celle qui est mariée à un boulanger dans l'Yonne. Il s'appelle Jean-Loup. Pas le boulanger, le bébé. Il a dix mois. Un beau petit, hein?

Mon regard glacial le fait taire. Il se racle la gorge et me propose la photo d'Alfredo.

Je la tends à Pâquerette.

— Vous reconnaissez?

L'inspecteur fixe l'image à travers ses

bandages. Puis il a un signe d'acquiescement.

— C'est oui à 8 sur 10, dit-il. Mais je
veux laisser une part de doute car, je vous le
répète, l'endroit était obscur.

— Merci du tuyau, dis-je, ça peut être
utile.

Je congratule le pauvre Pâquerette.

— La prochaine fois que je viendrai vous
voir, je vous apporterai des friandises.

Nous quittons l'hosto, le Très Honorable
Pinuche et moi. Une fois dans la rue je lui
commande de rallier le bureau et de faire
boucler à nouveau Alfredo au secret.

S'il est coupable, je le confondrai! Seulement, s'il ne l'est pas, je veux éviter de le
confondre avec l'assassin, vous mordez la
beauté de la langue française (la plus agile et
la plus aventureuse du monde)?

Le gars moi-même monte dans sa troti-
nette personnelle et privée et se conduit
jusqu'au domicile du sieur Bergeron, skieur
d'élite.

Il a tout un étage dans un immeuble fait
avec des pierres de taille qui sont vraiment
de taille. Et de taille imposante.

Je fais drelin-drelin sur la sonnette. Une
bonne pas encore loquée en femme de

chambre, because l'heure induse, vient me demander ce que je veux. Je débloque des crédits pour lui offrir un sourire large comme le postère d'une dactylo et la charmante petite personne consent à m'honorer d'un regard intéressé. Elle est accorte, blonde avec un nez retroussé et des yeux à rayures vertes et mauves. Mon vice, c'est les nanas qui ont des yeux à rayures. Je n'aime pas les yeux à pois et très peu les yeux écossais.

— Je voudrais parler à M. Bergeron, affirmé-je, suave comme le coucher de soleil fulgurant sur votre calendrier des P.T.T.

Certains d'entre vous qui font dans leur matière grise l'élevage du charançon, doivent se dire : « Pourquoi diantre ce San-Antonio demande-t-il après Bergeron, puisqu'il sait pertinemment, étant pertinent de nature, que celui-ci se trouve à Courchevel ? »

A ces lézardés de la coiffe, à ces visqueux de la pensarde, à ces spongieux du cigare, à ces amoindris congénitaux, je répondrai que lorsqu'on exerce ma noble profession, il faut toujours prêcher le faux pour savoir le vrai.

Vu ?

Alors n'interrompez plus le génie du siècle et de la poulaillerie réunis.

— M. Bergeron n'est pas ici, assure la donzelle.

Et je me sens tout disposé à la croire.

Brusquement, un problo se pose : existe-t-il une Mme Bergeron?

Je m'en informe.

— Mme Bergeron peut-elle me recevoir?

— Laquelle?

Mince! le boursier ferait-il l'élevage des épouses?

— Combien en existe-t-il? je demande.

La petite frangine se marre.

— Deux : sa mère et sa femme.

Si je m'en réfère à l'âge de Bergeron, sa maternelle doit posséder assez de carats pour avoir été la conscrite du maréchal Pétrin. Comme je ne suis pas tellement porté sur les dames qui mangent leurs entrecôtes par l'intermédiaire d'un moulin à légumes, je réclame l'épouse.

— Madame dort encore, fait la soubrette.

— Puis-je vous demander de la réveiller?

Si je lui proposais d'élever une douzaine de chimpanzés dans l'appartement, elle ne paraîtrait pas plus effrayée.

— Oh non! Madame a besoin de repos. Madame dort jusqu'à midi et...

— Aujourd'hui, exceptionnellement, elle fera un entracte.

Je montre ma carte à miss Tablier-Blanc.

La gosse ligote le texte imprimé sur le petit rectangle. Il est en caractères assez gros pour qu'elle puisse en prendre connaissance sans l'aide de lunettes.

— Ah! bon... bon, bredouille-t-elle.

Puis, dans un élan :

— Il est pas arrivé malheur à Monsieur?

—- Non, mon lapin, mais personne n'est à l'abri d'un accident.

Ce disant, j'évoque les belles pistes glacées de Courchevel. Un petit geste pour déclencher la camériste. Elle se résigne à me faire pénétrer dans un salon Louis XV entièrement meublé Louis XVI. Je me dépose sur une bergère et j'attends. Il y a des bruits de porte, des chuchotements dans la pièce voisine. Un laps de temps assez longuet s'écoule.

Enfin la lourde du salon s'ouvre et j'en ramasse comme avec une pelle. Croyez-moi ou bien allez vous faire peindre en vert, mais Bergeron choisit mieux ses épouses que ses associés. La personne qui pénètre dans la pièce a tout ce qu'il faut en sa possession pour pousser Liz Taylor au suicide. Elle est grande, mince, avec des jambes de danseuse américaine et une poitrine à côté de laquelle le ballon d'Alsace aurait l'air d'une pomme de terre. Si elle a 25 ans, c'est que l'officier d'état civil qui a enregistré sa naissance s'est gouré. De longs cheveux blonds très pâles encadrent son visage bronzé, éclairé par de magnifiques yeux pervenche. La bouche est charnue, sensuelle, le nez parfait (ça ne veut rien dire mais ça fait bien dans une phrase) et les pommettes harmonieuses (ça veut encore moins dire, mais ça fait style Directoire).

Devant cette apparition, je me sens anéanti comme un incrédule qui aurait utilisé le billet gagnant de la loterie dans ses ouatères, la veille du tirage.

Ce qui porte le comble à mon admiration, c'est le déshabillé transparent de la dame. Ce qu'on ne voit pas, on l'imagine, et on sent que ce qu'on imagine est au-dessous de la réalité (et de la ceinture).

Elle doit avoir l'habitude de couper le souffle aux hommes, car elle s'immobilise un instant pour me laisser reprendre mes esprits. Après quoi elle s'avance, d'une démarche si savante qu'en comparaison, Einstein aurait passé pour analphabète.

— Il paraît que vous avez désiré me parler, monsieur?

Jusque-là, oui, je désirais lui parler. Maintenant je désirerais bien autre chose. Faudra que je dresse une liste de ce que je désire à tête reposée et que je la lui envoie par la poste.

— Je suis navré de vous faire lever si tôt, madame Bergeron.

Pour un peu je lui proposerais presque de la reconduire au dodo.

— Rien de grave?

— Non, rien de très grave, mais il faut que j'entretienne votre mari.

— Au sujet de Boilevent, je suppose?

— Oui.

— Quelle histoire! Ce garçon ne me disait rien qui vaille. Il avait l'air... Bref, c'était le faux gentil, si vous voyez ce que je veux dire?

Non seulement je vois ce qu'elle veut dire, mais, à travers le tissu arachnéen de son déshabillé, je vois en outre ce qu'elle croit cacher. Franchement, les mecs, jamais un déshabillé n'a mieux mérité son nom. C'est à de tels détails qu'on se rend compte à quel point le vocabulaire français est perfectionné.

Elle poursuit sur sa lancée :

— J'avais prévenu mon mari. Je lui avais dit : ce Boilevent a quelque chose de fuyant. Seulement, mon mari est toujours trop bon.

— Et où est-il trop bon, en ce moment ? coupé-je.

Elle hausse son sourcil droit, puis sourit.

— Il est à Marseille.

Mes trompettes intimes me déchargent la sonnerie d'alerte en pleines portugaises. Voilà de l'insolite, du troublant et du nouveau, mes aminches. Pourquoi Bergeron a-t-il dit à sa merveilleuse épouse qu'il allait à Marseille alors qu'il filait à Courchevel ? Est-ce elle qui me chambre ? (Être chambré par une fille pareille, c'est une aubaine.) Pourtant je ne le crois pas, car un détail me revient au caberlot. Béru ne m'a-t-il pas dit que Bergeron avait retiré ses bagages et ses skis à la consigne de la gare ? Donc, il avait prémédité son départ ? Il ne pouvait pas partir de chez lui avec une paire de skis sur l'épaule en annonçant qu'il descendait sur la Canebière !

— Quand est-il parti ?

— Hier soir, par un train de nuit.

— Son voyage était-il prévu?

— Non. Mais il arrive fréquemment à mon mari d'être appelé par un de ses correspondants et de filer brusquement.

— Donc, hier matin, il ne savait pas qu'il allait partir?

— Absolument pas. Nous devions aller au théâtre ensemble. J'ai été obligée de m'y faire conduire par un de nos amis.

— Je regrette de ne pas faire partie de vos amis, ne puis-je m'empêcher de soupirer.

Elle n'est pas vexée. Elle a des miroirs et elle comprend ce qu'un beau gosse de mon espèce, bien sous tous les rapports (et même dessus), peut ressentir lorsqu'il se trouve en présence d'une souris comme elle.

— Il est parti pour longtemps?

— Il part souvent, mais jamais long-temps...

Une nuance de regret perce dans cette remarque. M'est avis que les absences de son vieux ne la font pas chialer.

Elle doit pas jouer les Pénélope, la chérie. C'est pas le genre de bergère qui fait de la pâtisserie en attendant son jules.

— Vous savez quand il rentrera?

— Pas exactement, mais je suppose que ce sera demain ou après-demain.

Je ne vois plus rien à lui dire, hélas! Ça me fend le battant de prendre congé de cette sensationnelle créature. Et pourtant il le faut bien.

— Vous avez du nouveau, dans l'histoire Boilevent?

— Je pense.

— Et vous ne pouvez pas me raconter?

Ce qu'elle est aguichante! Ecoutez, mes frères, je ne suis pas riche, mais je donnerais sans rechigner la moitié de vos économies pour pouvoir la sortir une soirée. Se balader avec, au bras, une nana comme elle en guise de parapluie, c'est le rêve de tous les bipèdes.

— Mon Dieu, madame, il est un peu tôt pour ébruiter les éléments d'une enquête...

— Vous faites un métier passionnant.

— Il offre l'avantage de nous mettre en contact avec des personnes... exceptionnelles, madame Bergeron.

Croyez-moi, j'appuie l'intention. Les Chargeurs Réunis, mes petits! Si après ça elle ignore qu'elle est mon genre, c'est qu'elle a besoin qu'on le lui écrive au néon.

— J'espère vous revoir bientôt, murmuré-je.

— Ce sera avec le plus grand plaisir.

Elle me tend une main. Je la baise. Puis je sors à reculons.

J'ai dans le creux du bide cette navrance que vous cause un désir inassouvi. Moi, à la place de Bergeron, je ne partirais pas de chez moi. Du moins pas sans ma femme.

L'air frais du matin me dégrise un peu. Je fais le point de la situation. Tant de questions m'assaillent, auxquelles je ne puis pour l'instant fournir de réponse.

Est-ce Alfredo qui a tué sa gerce? Est-il vrai que Boilevent courait un grand danger? Feu la môme Marie-Thérèse a-t-elle réellement écrit une lettre à Boilevent par laquelle elle reconnaissait que l'agression était préméditée? Si oui, qu'est devenue cette bafouille? Pourquoi Bergeron est-il parti brusquement pour Courchevel et a-t-il déclaré à sa ravissante pépée qu'il se rendait à Marseille?

Vous mordez la quantité de points d'interrogation qui m'accrochent les cellules? Pour se dépêtrer de tout ça il faudrait un sécateur à pédales.

Je m'engouffre dans un bar. Le loufiat est en train de balayer le parquet, les chaises sont sur les tables et ça renifle bon le café frais.

— Un café et un jeton! lancé-je.

Muni du nickel je dégringole au sous-sol. En France, et à Paname en particulier, lorsque le téléphone ne se trouve pas à côté des gogues, ce sont les gogues qui se trouvent à côté du téléphone.

Je compose le numéro de la boîte et je réclame le Vieux.

Il paraît dans tous ses états, le Charles Quint de la poulaillerie.

— Qu'est-ce que c'est que cette histoire de fille assassinée dans le Bois, San-Antonio?

« Je suis fort surpris de n'avoir eu aucun rapport de vous sur cette question. Du train où vont les choses... »

Du train où vont les choses, je sens que je vais lui citer les bons auteurs avant longtemps, à commencer par mon ami Cambronne.

Pendant qu'il se vide, je me fais les ongles. Après quoi je place ma rafale personnelle.

— Ecoutez, patron, la situation évolue rapidement. Je pense que je touche au but. (Hou, la menteuse!).

Ça l'apaise.

— Ah oui?

— Oui. Il me faut l'adresse personnelle de Boilevent.

— 14, rue Thérèse-Quiricanton (l'abbesse).

— Lorsqu'on a perquisitionné chez lui, car je suppose qu'on l'a fait ?

— Oui.

— A-t-on trouvé une lettre écrite par sa catin qu'il voulait soi-disant étrangler ?

Un silence marque la stupeur du Dabuche.

— Qu'est-ce que vous racontez, San-Antonio ? Une lettre écrite par...

Je rengracie.

— Bon, je vous raconterai ça. Merci, patron.

Je raccroche et je vais boire mon caoua. Et puis c'est la ruée en M.G. jusqu'à la rue Thérèse-Quiricanton.

CHAPITRE X

La neige sur les pas.

Il était pas épris de luxe, le défunt Boilevent; ou alors il cachait bien son jeu. Il créchait dans un immeuble vieillot, au cinquième, dans un appartement de deux pièces avec cuisine. Je n'ai pas les clés de son logement, mais vous le savez, avec l'étonnant sésame qui ne me quitte jamais, je peux ouvrir n'importe quoi, y compris un coffre-fort Fichet et les portes du paradis.

Me voici donc dans la place (in english : in the place). Ça renifle déjà le triste et le renfermé. Mais je n'ai pas le temps de me perdre en philosophie de bas étage. D'ailleurs, au cinquième, ce ne serait pas possible !

Illico j'entreprends une perquise minutieuse.

Ratissage dans les règles de l'appartement. Je retire les tiroirs de meubles, je soulève les tapis, je renverse les matelas et les palpe centimètre cube par décimètre carré, bref... Je m'active... J'explore la cuisinière à gaz, la chasse d'eau des toilettes, les bouquins de la bibliothèque. *La Lettre volée* d'Edgar Poe! J'y pense... Je m'inspire du Maître. Mais franchement, ça ne vient pas vite.

Je vais fouiller dans la boîte à ordures et je découvre une carte postale déchirée en quatre. Je rassemble les morceaux. Oh! surprise ineffable! La vue représente le téléphérique de la Saulire, à Courchevel. Voilà qui est étrange. Je retourne la carte. Au dos, outre l'adresse de Boilevent, trois mots sont tracés, d'une écriture rapide :

« ET LA SUITE? »

Trois mots et un point d'interrogation. Un de plus! Pas de signature.

Qui a posé cette carte? Le gars Bergeron? Je glisse les quatre morceaux de bristol dans mon portefeuille et je poursuis mes recherches.

Au fur et à mesure, le découragement croît en moi. Si mes collègues qui sont venus explorer le logement n'ont rien trouvé... Il est vrai qu'eux ne cherchaient rien de déterminé. Ils fouillaient par routine. Peut-être même n'ont-ils opéré qu'en surface ?

Je cherche à pénétrer l'état d'esprit de Boilevent. Il voulait aller en taule pour quelque temps. Le danger qu'il courait était tellement grand qu'il voulait bien passer pour un sadique. Seulement, pas fou, il détenait la preuve que son agression n'était qu'une mise en scène. Cette preuve, la police ne devait pas la découvrir avant que lui le juge opportun. Or il se doutait qu'on allait perquisitionner chez lui !

Si la lettre existe et s'il l'a cachée là, c'est qu'il était sûr de la cachette ! Bigre, bigre ! Et mon petit doigt me certifie qu'il l'a planquée chez lui. Il ne pouvait la remettre à un notaire, par exemple, puisque, une fois arrêté, ses affaires seraient explorées, décortiquées et tout. Il ne pouvait pas non plus se l'adresser poste restante, le courrier ne séjournant qu'un temps assez réduit à ces guichets. Alors ? Il ne l'aurait pas confiée à un ami. Il n'était sûr de personne, la lettre précisément le prouve !

Cette p... de lettre, comme dirait une putain de mes amies qui était respectueuse, représentait sa liberté, sa vie, même. Or une lettre c'est du papier : ça se déchire, c'est inflammable! Où diantre a-t-il pu la cloquer, ce faux satyre!

Je passe encore une heure dans l'appartement. Balpeau. Maintenant ma conviction est faite : Alfredo m'a berluré de A jusqu'à Z.

Je me sens dans une rogne verte. Se laisser chambrer par un tocard! Y a de quoi se raser les poils du nez avec une lampe à souder!

Je décambute. Je ne souhaite à personne de me marcher sur les nougats, car le téméraire boufferait de la purée très fluide jusqu'à ce que son mécanicien-dentiste lui ait réussi une œuvre d'art.

Je drive en direction du bureau, ce qui m'amène à promiscuité de la rue Godot-de-Mauroy. Et alors, comme chaque fois dans les situations critiques, j'ai une idée.

Je range ma chignole devant une porte cochère et j'entre dans le petit hôtel dont m'a parlé Alfredo. N'a-t-il pas prétendu être allé demander après sa gagneuse, la veille au soir?

Une dame distinguée, d'un âge trop avancé pour reculer, m'accueille, regarde par-dessus mon épaule pour voir qui me suit, s'avise que je suis seulâbre, me prend pour un onaniste et fronce les sourcils qu'elle a blancs et fournis.

Je lui montre alors alternativement deux morceaux de carton de dimensions sensiblement identiques. Le premier est ma carte, le second la binette d'Alfredo.

— Hier soir, fais-je, cet homme est-il venu vous demander des nouvelles de la tapineuse Marie-Thérèse? Une blonde bien bousculée.

La dame chausse ses lunettes à monture de caramel dur taillée dans la masse, prend son temps et le parti de dire la vérité, rien que la vérité, toute la vérité.

— En effet.

— Vous le connaissez?

— C'est Alfredo.

Donc elle bonnit juste.

— Quelle heure était-il?

— Dix heures vingt.

— Comment en êtes-vous si sûre?

— Quand il m'a posé la question, instinctivement j'ai regardé l'heure. La grande Marie-Thérèse partait toujours à dix heures à moins qu'elle ne fusse t'avec un client.

— Vous seriez prête à en témoigner devant une cour d'assises?

— Mais naturellement. Et d'ailleurs Gustave, le garçon d'étage était présent. Je vais l'appeler...

— Inutile. Merci. A un de ces quatre !

Je ressors.

Alors là, ça vacille sur ses bases, les gars. Ce témoignage de la mère Couvre-Lit innocente Alfredo. Car, c'est rigoureusement mathématique : ayant quitté le secteur Caulaincourt-Junot à dix heures, y étant de retour à dix heures trente après une station rue Godot-de-Mauroy, Alfredo n'a pas eu le temps matériel d'aller assaisonner sa pétasse au Bois, de matraquer le pauvre Pâquerette, de le traîner dans des fourrés et de revenir dans le centre.

*
* *

— T'en fais une bouille ! s'étonne le révérend Pinaud en ôtant sa chaussure de droite pour se délasser les salsifis.

— Tiens ! tu portes des chaussettes noires à c't'heure, ironisé-je.

— C'est Béru qui m'a passé le tuyau. Comme ça, quand y a des trous, ça se remarque pas.

Comme si le fait d'évoquer le Gros avait

déclenché le mécanisme tortueux du hasard, le standardiste m'annonce un coup de grelot de Courchevel.

Voix bérurienne semblant arriver des antipodes.

— C'est toi, San-A. ?

— Si ce n'est pas moi c'est rudement bien imité. Je me trouve en face d'une glace et je peux te dire que l'illusion est parfaite.

— Je m'en fous que tu débloques, c'est l'État français qui paie la communication, rouscaille l'Enflure.

— Où en es-tu?

— J'ai de la neige jusqu'au menton.

— Une veine que tu aies pu dénicher un appareil téléphonique! Et notre homme?

— C't'à cause de lui que j'te cause.

— Qu'est-ce qu'il fait?

— Du ski, mon vieux, tout bêtement. Il devait rudement avoir envie de pister; à peine arrivé qu'il était sur les planches et qu'il fonçait vers les tire-miches. Comment veux-tu que je le suive : en costume de ville que je suis, sans skis... Et puis quoi : j'sais pas skier!

— Raison majeure, gouaillé-je.

— Majeure mes choses, bougonne l'Ignoble depuis les sommets alpins. Moi j'ai horreur de la neige, tu me croiras si tu voudras mais ça me flanque le bourdon.

— Je sais, depuis ta naissance t'es contre la blancheur.

— C't'une allusion?

— Non, Béru : une constatation.

— Ah bon!

— Raconte ton arrivée là-bas?

— Une vraie expédition, mon pote! Si tu voyais ces virages pour grimper! Moi, comme une crêpe, je m'étais foutu à gauche, du car, côté vallée. Tu vois le gouffre avec, tout en bas, des maisons grosses comme des morpions. Et puis ça patine! A un moment j'ai cru qu'on allait à dame. Mon vin chaud de Moutiers me revenait de l'estomac.

— Assez de poésie, la suite!

— Bon! Bouscule pas, je l'ai z'assez z'été comme ça!

« On est arrivés tout là-haut. Y faisait même pas jour et y avait du brouillard. J'ai pris du champ et j'ai regardé ce que faisait le niace. »

— Et que faisait-il?

— Il récupérait ses bagages et ses skis. Ensuite il est allé à un hôtel.

— Lequel?

— J'sais pas. Plus haut que le mien, je

sais où, mais j'ai pas su noter le blaze parce qu'il y avait de la neige sur l'enseigne.

— Et alors?

— Moi j'suis allé aux Alpes où ce que tu avais prévenu à mon sujet. Ils ont été très gentils. J'ai une chambre avec vue sur la mer.

— Qu'est-ce que tu racontes?

— Parole d'homme. Y a un tableau qui représente la Côte d'Azur en face de mon plumard.

« Je crois que c'est Monaco, j'suis pas sûr, je demanderai. »

— Ça n'est pas le plus important.

— D'ac, mais faut s'instruire.

— Ensuite?

— Ben, mon installation a été vite faite vu que j'avais pas de bagages. J'ai bu un caoua. Puis j'ai été z'au bureau de poste où ton mandat venait d'arriver, à ce propos je te remercie d'avoir fait le postillon.

— Le postillon?

— Non, je veux dire diligence. Je me suis alors pris par la main pour aller draguer près de l'hôtel de Bergeron.

« Un chemin qui montait, misère! Trois fois que j'ai eu droit à un billet de parterre avec mes semelles cuir! Je te préviens : si je serais pour séjourner ici, faut que je m'équipe. »

— Equipe-toi.

— Je note. Bon, comme je me pointais, le Bergeron sortait avec deux paires de skis.

— Deux paires?

— Une aux lattes, l'autre sur l'épaule. Il a foncé vers un remonte-pente qu'ils appellent entre-côte, ou côte-en-pente, j'me rappelle plus.

— Belle-Côte?

— C'est ça. T'es calé en géographie, toi!

— Et puis?

— Et puis mon zig s'est envolé avec toute une bande de loquedus. Moi j'étais comme la poule qu'a couvé un canard et qui le voit faire la brasse coulée sur l'étang. Je suis revenu à mon hôtel d'où ce que je te bigophone.

Un silence. Dans l'écouteur, je perçois cette clameur caractéristique qui règne en permanence sur les stations de sports d'hiver.

— M...! on a coupé, brame le Gros.

— Mais non, je suis toujours là. Je pense.

— Tu pourrais penser tout fort, que ça amortisse les frais!

— Ce qui me chiffonne, Gros, ce sont les deux paires de skis.

— Tu sais, riposte le Gros, c'est moins rare de voir un type avec deux paires de skis qu'avec deux paires...

— Pense que les demoiselles des pététés sont probablement à l'écoute, Béru. Et refrène tes instincts de soudard.

« Lorsqu'il est allé retirer ses bagages à la consigne, il n'en a pris qu'une paire? »

— Oui.

— Bon, continue de surveiller le comportement du zig, j'arrive.

— Tu arrives?

— Oui. Fais-moi retenir une chambre.

Ça m'a pris d'un seul coup d'un seul. Mon vieil instinct m'a averti que Courchevel devenait maintenant le centre de gravité de l'enquête. Vous savez à cause d'au sujet de quoi?

A cause de cette carte postale trouvée dans la boîte à ordures de Boilevent et qui venait précisément de Courchevel.

Et puis je me dis que feu Boilevent fabriquait des fixations pour skis. Cette occupation est en somme en rapport direct avec ce noble sport non?

Oui, faut voir ça de près.

— T'as pas de train avant cette nuit, affirme Bérurier, donc tu seras là demain matin?

— Je vais prendre l'avion pour Genève, puis je me ferai conduire là-haut en taxi, j'arriverai dans l'après-midi.

— Chouette, ce soir y a la fondue à l'hôtel!

Il raccroche en salivant. Je l'imite.

— Alors, tu pars? demande Pinaud.

— Oui, rétorqué-je. Crois bien que ça me fend le cœur de te quitter, mais le devoir a ses exigences!

CHAPITRE XI

Les pas sur la neige.

Le bar des *Grandes Alpes* est plein de clients élégants lorsque je fais mon entrée. Il y a là des dames en technicolor, des messieurs en pull-over et un barman en veste blanche. Plus, disons-le sans plus attendre, un très surprenant personnage qui passe aussi inaperçu qu'un tableau de Millet dans une exposition de Picasso.

L'individu en question porte un pantalon fuseau rouge, une chemise à carreaux noirs et blancs, des après-skis blancs et un anorak bleu ciel. Il est coiffé d'un bonnet rouge, très long, qui lui retombe sur la nuque. La pointe du bonnet se poursuit par une cordelière blanche, laquelle se termine par un magnifique pompon de même métal. Il fait un mètre quarante de tour de taille, sa chemise dégrafée laisse voir une végétation luxuriante, mais pas luxueuse du tout. Les joues de l'homme ignorent l'eau, le savon, le rasoir et, à plus forte raison la lotion *Men's After Shave*. Son nez est important. Quand il se mouche, il doit avoir l'impression de serrer la main à un ami. Le froid a poli, rougi, illuminé, enluminé, ciré, carminé, lustré le naze en question.

Qu'ajouter de plus, sinon que l'homme à nom Bérurier?

Juché sur un haut tabouret, le Gros parle d'abondance (ses cornes aidant) à un auditoire qui se tord de rire.

Il raconte des prouesses à skis qu'il aurait accomplies dans sa jeunesse et je le soupçonne d'avoir potassé le manuel du parfait petit skieur dont il aurait mal assimilé les termes techniques.

— Moi, déclare ce Tartarin des neiges, j'allais skier dans le Malaya. Ces pentes à la gomme comme je vois ici, c'est juste bon à dégrossir les débutants. Je me mettais au sommet et je piquais en *shoot*. Ensuite, je faisais des juliénas, des perce-neige virage, des perce-neige pas virage, du râpage, du sale-homme, fallait voir!

— Et voilà comment tu es devenu l'Abominable Homme des neiges!

Il se retourne. Ce faisant, il perd l'équilibre, dégringole de son tabouret et se retrouve assis sur son derrière comme une poire trop mûre tombée de l'arbre.

— C't'encore un coup à toi, bougonne-t-il en se relevant.

Je me recule d'un pas pour avoir une vue générale du spécimen.

— Tu est beau, tu sais, chantonné-je, manière Piaf. Tu tiens du zouave pontifical, du roi mage et du comique troupier.

Le Gros qui a pas mal picolé est furax.

— Si c'est pour te fiche de moi que t'es venu, tu pouvais rester à Pantruche!

Je le soustrais à la curiosité publique et nous montons dans sa chambre.

Il se plante devant une glace et s'examine complaisamment.

— Si Berthe me voyait, elle aurait des vapeurs, assure-t-il, faudra que je me fasse tirer une photo en couleurs.

J'avise une paire de skis dans sa chambre. Je n'en reviens pas.

— C'est à toi, ça?

— Comme j'ai l'honneur de te dire oui.

Et d'expliquer :

— De voir les autres faire les c... sur les pistes, ça m'a donné envie. D'autant plus qu'il y a l'hôtel une dame avec qui j'ai un ticket grand comme l'écran du Gaumont Palace. Une Espagnole, je crois, brune à plus oser acheter de l'encre de Chine. Du poil aux joues et des yeux de velours.

— Tu n'es pas ici pour faire le joli cœur.

— Ecrase! déclare-t-il sobrement. Quand on envoie un inspecteur à deux mille mètres de haut, il a le droit de se divertir, si l'occasion se présente, moi c'est comme ça que je vois les choses.

— Où en sommes-nous? coupé-je.

— Bergeron est toujours à l'hôtel, là au-dessus.

— Son emploi du temps?

— Il est reparti dans l'après-midi. Il est allé au dépôt des cars. Il a pris une paire de skis et il est reparti par le remonte-côte de Belle-Pente.

— Belle-Côte, eh, truffe!

— C'est ce que j'ai dit, ment le Gros.

— Il est reparti avec deux paires de skis?

— Xactement!

— As-tu assisté à son retour?

— Oui. Pour la bonne raison que je suis

z'été z'au bar de son hôtel où que j'ai picolé
tout l'après-midi en l'attendant.

— Ça se voit!

— Siouplaît? proteste l'Obèse. Des allu-
vions blessantes?

— Alors, son retour?

— Vers le milieu de l'aprème.

— Toujours avec les deux paires de skis?

— Non. Il n'en avait plus qu'une. L'est
monté dans sa piaule pour se changer. Moi,
mine de rien, j'ai questionné le barman à
son sujet. Paraîtrait qu'il serait là pour trois
jours. Paraîtrait aussi qu'il y vient assez
souvent, une ou deux fois par mois, pour
des véquendes...

— Tu crois qu'il t'a repéré? Depuis Paris
tu ne l'as pas lâché, c'est coton.

Le Mahousse s'indigne.

— Me repérer, moi, quand je file le
derche à un mec? T'es zizi ou si c'est ta
glande tyrolienne qui fonctionne plus?

Et de se justifier, d'exposer sa tactique :

— A partir du moment où je m'attache
z'aux talons d'une quidame ou d'un
quimonsieur, je m'incorpore z'au paysage.
On ne me remarque plus, c't'un don, quoi!

— Je sais, dis-je, pour ne pas le contra-
rier. Néanmoins, à partir de demain, c'est

moi qui le prends en charge, toi tu pourras t'exercer au ski. Prends des cours!

— Tu crois?

— Tu commences par le 7 *bis;* doué comme tu es, au bout de trois jours tu seras au 5. Pense à Berthe, mon vieux. Elle sera fière de toi!

Des larmes couleur d'eau de vaisselle perlent aux paupières sanguinolentes de Béru.

— Essuie-les, conseillé-je, si elles gelaient tu aurais l'air d'une canalisation de gogues éclatée.

*
* *

De fort bonne heure le lendemain, je fais le pied de skieur devant la crèche palaceuse de Bergeron.

J'ai revêtu une tenue de circonstance pour ne pas être reconnu par le boursier. Un serre-tête noir me cache le haut du visage, et des lunettes panoramiques, en mica jaune, dérobent cette partie de moi-même si caractéristique et dont les femmes raffolent.

Heureusement, un chalet inoccupé fait face à l'hôtel et c'est à l'abri de l'escalier extérieur d'icelui que je monte ma garde.

Je poireaute ainsi trois quarts d'heure. Ensuite de quoi mon attente est couronnée de succès. Bergeron radine, sanglé dans un anorak noir. Il a une paire de skis sur l'épaule et il marche à pied. Je le laisse s'éloigner avant de le filer. Le bonhomme se dirige en direction du pays. Je le vois foncer vers l'école de ski et poser ses planches contre le mur de l'établissement. Il attend, en tapant ses mains gantées de moufles l'une contre l'autre pour se réchauffer.

La station commence à bouger. Au carrefour, un chasseur alpin fait la circulation. Des autos circulent lentement dans le léger clapotis de leurs chaînes. Là-bas, dans la vallée, l'horizon est mangé par un lac de brume, tandis qu'au contraire le sommet de la Saulire accueille le premier rayon de soleil.

La foule des skieurs se canalise vers les panneaux des cours. Je vois rappliquer le gars Béru.

Le Mahousse s'est rendu à mes raisons et oubliant ses tartarinades de la veille à l'hôtel, il commence par le plus petit cours. Son humilité est telle qu'il se range à celui des enfants. Ceux-ci ne s'étonnent pas de prime abord, car ils le prennent pour un moniteur, mais ils le voient mettre ses skis et alors le doute s'infiltre dans leurs petites tronches.

M. Bergeron continue de faire les cent pas en applaudissant très fort pour se réchauffer les extrémités. Soudain, il dresse l'oreille. Je regarde dans la même direction que lui et j'avise le car de Moutiers qui rapplique en ahanant. L'ex-associé de Boilevent attend patiemment que les voyageurs soient descendus, après quoi il s'approche du chauffeur. Celui-ci semble très bien le connaître car les deux hommes se serrent la paluche avec énergie. Puis le conducteur sort du porte-bagages une paire de skis qu'il remet à Bergeron. Bergeron lui glisse un pourliche et charge les nouvelles planches sur son dos. Il se dirige alors vers les pistes, chausse ses propres skis et gagne le remonte-pente de Belle-Côte.

Est-il besoin de vous dire que le célèbre, surprenant, époustouflant, séduisant, étourdissant et merveilleux commissaire San-Antonio en fait autant?

Je me trouve à deux skieurs de Bergeron lorsque j'attrape la canne de remontée. Heureusement que je suis un as de la semelle de bois! Vous voyez que dans cette satanée profession tout sert!

Néanmoins, on n'est jamais à l'abri d'une chute. Comme je n'ai pas rechaussé les bouts de bois depuis l'hiver dernier, je redoute de perdre l'équilibre, ce qui m'obligerait à redescendre prendre mon tour au tire-fesses. Ce serait perdre le contact avec Bergeron.

Lui, il doit drôlement savoir skier. Il ne tient même pas la canne. Il a ses bâtons sous un bras, sa paire de skis de rechange sur l'épaule opposée et il se laisse aller. On dirait un homme qui ne se sent plus hisser.

Comme quoi il a tort de faire le mariolle. A mi-parcours, voilà mon brave homme qui fait un valdingue de *first class* sur une bosse. Il bascule, choit dans la neige, rattrape les skis de secours comme il peut...

J'ai tout vu; j'hésite. Que fais-je? Quitté-je la piste de remontée à mon tour? Ce serait idiot car cela risquerait de lui mettre le prépuce à l'oreille. Mieux vaut filer jusqu'au bout et attendre...

Dont acte.

Une fois au sommet, je me livre à quelques exercices gymniques pour me préparer à la descente. Puis j'exécute des dérapages près de l'arrivée du tire-miches.

Vingt minutes s'écoulent. Je regarde rappliquer les fans des pentes. Pas plus de Bergeron que de statue d'Eisenhower sur la place Rouge de Moscou.

Une demi-plombe, puis une plombe passent encore et toujours pas de Bergeron. Mon inquiétude va croissant, comme une inquiétude de Turc. Qu'est-ce que ça signifie?

Le boursier se serait-il fait mal en chutant tout à l'heure? Ou bien aurait-il renoncé à sa balade?

Je tapine encore trente minutes, après quoi je m'offre une descente vertigineuse.

Arrivé en bas de la piste, je m'approche d'un grand concours de populo. Tous les mômes de la station cernent Bérurier couché dans la neige, pareil à une tortue sur le dos.

Il jure comme dix charretiers ivres, le Mahousse.

Il a un ski sous les fesses, un autre planté verticalement dans la neige. Il essaie de se relever en piquant un de ses bâtons dans la neige, mais n'y parvient pas, car la pointe dudit bâton a traversé sa jambe de pantalon, ce qui le cloue littéralement à la piste.

Le moniteur de la jeunesse est le plus

rigolard de tous. Aussi est-ce à lui que s'adressent particulièrement les invectives de Bérurier. Le Gros le traite d'assassin, de casseur d'os diplômé, de pourvoyeur de cliniques, etc.

J'interviens opportunément pour le remettre à la verticale.

— T'as assez fait ton Périllat pour aujourd'hui, dis-je.

Il s'époussette, crache la neige qu'il a mangée, se masse les rognons.

— Hou, ce que j'ai mal, aboie mon valeureux camarade. J'en ai pris un sacré coup dans les bijoux de famille! C'est un truc meurtrier, ça...

Il veut dégager ses fixations, mais en se baissant pour les attraper, son ski aval glisse et le Gros se met à dévaler ce qui reste de pente en hurlant des injures qui doivent être perceptibles depuis Brides-les-Bains. On dirait une avalanche rouge et bleu. Je cours le délivrer de ses planches et, pour calmer sa fureur je lui promets douze apéritifs.

Le déjeuner fort copieux a calmé la colère bérurienne. Le Gros a redemandé trois fois du gigot et il a la digestion béate des boas à bord des ferry-boats.

— Eh ben, tu vois, fait-il. Tu me croiras si tu voudras, mais je recommencerai tantôt. Je me rends compte maintenant, la couenne-rie que j'ai faite, c'est d'aller aux cours des mouflets. Ils m'ont chahuté et j'ai gourdé sans arrêt. Avec des grandes personnes, en m'appliquant bien, en suivant les esplications du moniteur je dois me défendre. Je suis pas plus c... qu'un autre, non ?

— Peut-être pas, mais en tout cas pas moins.

Haussement d'épaules exacerbé de Béru.

— Dis voir, bonhomme. A quelle heure Bergeron a-t-il quitté son hôtel hier après-midi ?

— Vers trois plombes.

Je mate ma montre. J'ai tout mon temps. Je commande un sixième pousse-café au Gros, je lui souhaite bonne bourre au ski et je le laisse faire de l'œil à son Espagnole, une ravissante dame de soixante-huit ans, velue au point qu'on est obligé de la tondre si on veut voir ses yeux, à peine plus grosse que Béru et qui ne fait pas de ski à cause de sa jambe de bois.

Je vais au dépôt des cars. Un employé en

blouse bleue m'accueille fort aimablement.

Je lui montre la carte et lui se montre très surpris.

— Oh! La police? s'étonne-t-il.

— J'ai certaines questions à vous poser, monsieur. Mais je vous préviens que votre discrétion m'est nécessaire.

Sa mine hermétique me rassure. Un Savoyard n'a pas l'habitude de parler à tort et à travers, surtout des secrets que lui confie un flic.

— Vous connaissez un certain M. Bergeron?

— Bien sûr.

— Ce monsieur reçoit beaucoup de skis par votre canal, je crois?

— Presque tous les jours, quand il est ici.

— Comment expliquez-vous cela?

— Il est fabricant de fixations à Paris. Alors il a des prix imbattables et il approvisionne tous les gens de sa connaissance.

Je me dis que jusque-là tout est O.K.

— D'où viennent ces skis?

— De Chamonix. Le fabricant est de là-bas.

— Vous en avez reçu pour lui par le car de midi?

— Oui.

— J'aimerais les voir.

Le préposé me guide vers l'extrémité de l'entrepôt.

— Tenez, les voici. Vous pouvez regarder, ils sont tout neufs.

Je les examine soigneusement et, effectivement, ces skis m'ont l'air de bon aloi.

— Je vous remercie. Pas un mot de ma visite à M. Bergeron.

— Soyez tranquille.

Il hésite, puis, gêné par sa propre curiosité, balbutie :

— Y a rien de... de grave?

— Absolument rien. Je procède à certaines vérifications fiscales et ces ventes particulières ne sont pas licites, vous comprenez?

Il comprend. Je lui serre la pogne et je vais attendre près du remonte-pente de Belle-Côte.

**

Une petite heure plus tard, je vois rappliquer Bergeron avec sa double paire de skis. Comme le matin, il use du tire-fesses, et, toujours comme le matin, se comporte en virtuose, négligeant de se tenir.

Je cramponne une canne pour le filer.
Cette fois, je me place directo derrière lui. Il
fait un temps magnifique. La montagne
étincelle, les femmes sont jolies et les couleurs vives des équipements composent une
symphonie magnifique.

Lorsque nous parvenons à mi-parcours,
Bergeron a la même défaillance que le matin
et il chute. Je me dis que pour un skieur
habile ça fait un peu beaucoup et que la
coïncidence est troublante, aussi, vingt
mètres plus loin, après m'être assuré, d'un
coup d'œil en arrière, qu'il ne mate pas dans
ma direction, je lâche ma canne et m'élance
sur la piste. Je décris un large arc de cercle
qui me ramène au niveau du boursier. Celui-
ci a retrouvé son équilibre, rechargé sa paire
de skis sur son épaule et le voilà maintenant
qui repart. Mais il ne descend pas sur
Courchevel. Il coupe la piste en travers et
dévale vers la vallée du Pralong.

Je lui laisse prendre une confortable
avance et je glisse à mon tour dans ses
traces. Bergeron est vraiment un crack. Je
mesure maintenant que ses chutes dans le
tire-fesses étaient feintes.

Il bombe vers un bois de sapins, décrit
deux ou trois christianias et pique en direc-

tion d'un abri de berger lové contre un rocher au creux de la combe.

Parvenu au seuil du chalet il déchausse ses skis, les plante dans la neige et entre, toujours avec les autres sur son épaule.

Le San-Antonio bien-aimé n'hésite pas. Dans le grand silence blanc qui l'environne, il ne fait pas plus de bruit qu'une chenille sur un édredon, votre commissaire bien-aimé. Il pose ses étagères à son tour, prend son ami Tu-Tues dans la poche ventrale de son anorak et pousse lentement la porte du refuge.

Il fait clair-obscur à l'intérieur. Ça renifle la vache et ses sous-produits dans le secteur. Du toit aux grosses poutres noueuses pendent des toiles d'araignée. Je me penche et j'ai le vif plaisir d'apercevoir le sieur Bergeron en plein effort. Le « scieur » Bergeron, devrais-je plutôt écrire. Car il fait du bois, le digne homme. Et savez-vous avec quoi il en fait? Avec sa paire de skis. Ça vous la coupe, hein, comme disait un rabbin de mes amis. Avouez que vous êtes sidérés, mes crêpes? Ce monsieur qui reçoit deux paires de skis par jour et qui s'isole pour en faire du petit bois à allumer le feu. Voilà qui est raide. (Ça c'est une starlette de mes amies

qui me le disait, mais elle ne vous le dirait
jamais à vous autres, tas d'empêchés.)

Immobile dans l'encadrement de la porte,
je n'en perds pas une écharde. Il s'active
vilain, le Bergeron. Un vrai petit sadique
dans son genre. Oui, exactement : un tour-
menté du bulbe qui prendrait son fade en
brisant des skis. Pourquoi pas?

Lorsqu'il a obtenu un gentil fagot, il le
jette dans la vieille cheminée démantelée,
craque une allumette, enflamme un journal
qui traîne là et met le feu aux skis. Ah! mes
princes, cette flambée! Si vous voulez avoir
de la belle combustion dans vos cheminées,
un conseil : brûlez-y des skis. Les flammes
joyeuses montent dans l'âtre noirci. Tel un
démon, Bergeron regarde flamber son
étrange fagot.

— C'est joli, hein? dis-je gentiment en
achevant d'entrer.

On dirait qu'il vient de prendre une ruche
pour un pouf et de s'asseoir dessus. Drôle
de sursaut, le boursier!

Il est semblable à une bête traquée. Faut
le comprendre : la cambuse ne comporte en
fait d'issue qu'une porte basse et San-
Antonio se tient devant avec un zizi-panpan
à la main.

— Qui êtes-vous? demande-t-il.

Il ne peut me reconnaître because mes lunettes et le serre-tronche et because aussi je me trouve à contre-jour.

— On ne reconnaît plus ses petits copains, Bergeron?

Ma voix doit lui faire quelque chose. Il est vrai qu'elle est inimitable : si chaude (40 °C) si bien timbrée. Quel organe! Depuis Caruso je crois bien que... mais passons, je ne suis pas là pour m'éventer, comme disait le bey de Tunis.

Il croasse :

— Qui êtes-vous?

Je fais un pas en avant de manière à offrir mon altier visage aux flammes de l'âtre (de Tassigny); puis j'abaisse mes lunettes panoramiques. Nouveau hoquet du boursier. Vu notre attitude à tous les deux c'est presque du hoquet sur glace.

— Commissaire, bredouille-t-il.

— Eh bien, je jubile, hilare, on joue les Bernard Palissy à c't'heure, m'sieur Bergeron?

— Je...

— Vous?

— C'étaient de vieux skis...

— De vieux skis tout neufs comme vous en recevez deux fois par jour!

Je l'entends blêmir. Il fait un bruit pareil à celui d'un centenaire qui voudrait casser des noisettes avec ses dents.

— Voyez-vous, fais-je, je crois que le plus simple, c'est de vous mettre à table. L'endroit n'est pas très confortable, mais le pique-nique a ses charmes. Et puis au moins on y est tranquille!

— Mais je... je vous jure que je...

Sans cesser de le braquer avec mon dénoyauteur de quetsches, je me baisse pour ramasser quelque chose à terre. Il s'agit des fixations de ski que Bergeron a dévissées avant de brûler les planches.

J'en cueille une. Le boursier a un élan vite refréné par un léger déplacement de mon pétard.

— Du calme, mon cher ami. Du calme!

Je saisis la hachette avec laquelle il a brisé les skis et je flanque de grands coups dans les fixations. Après quoi je recule vers le jour pour examiner les entailles.

— Bravo, fais-je, je m'en doutais. De l'or qu'on a chromé! D'habitude, on plaque or les bijoux en toc, chez vous, c'est le contraire!

Je n'en dis pas plus. Un brandon enflammé m'atterrit sur le coin du portrait. La brûlure me fouaille la joue droite. Cette douleur est si intense que je suis incapable de réagir pendant plusieurs secondes. Je porte mes mains à mon visage. Je me sens bousculé. On m'arrache mon pétard des mains. C'est facile, car je le tenais d'un seul doigt, les autres étant pressés sur ma chair brûlée.

— Ne faites pas un geste ou je tire! lance Bergeron.

Il a la voix d'un homme capable de faire ce qu'il dit. Je laisse tomber mes mains le long de mon corps et je regarde le boursier. Il a déjà ramassé les fixations et les a glissées dans la poche de poitrine de son anorak. Cela lui fait une énorme bosse de Polichinelle, très lourde, qui tire le vêtement en avant.

Maintenant il chausse ses skis, bouclant ses sangles d'une main, à tâtons, car il me regarde en conservant le revolver pointé sur moi.

Lorsqu'il a fini de fixer ses planches, il prend un de mes skis et le lance sur la pente. Puis il empoche le feu et assure ses bâtons dans ses mains.

— Vous avez tort, fais-je, assez penaud. C'est le genre de western qui n'arrangera pas vos affaires, mon vieux.

Il ne répond pas et fonce.

Alors, les gars, je vais vous parler un peu de San-Antonio. Je vais vous raconter comment s'y prend le joli commissaire pour jouer les supermen en pleine action.

Oubliant ma cruelle brûlure à la face, je bondis sur le ski restant. Je le chausse en un tournepied et, sur une seule guibolle, je m'élance à la conquête de celui que l'affreux Bergeron à propulsé dans la vallée.

Par un bol monumental, ma seconde planche est allée se piquer dans un monticule de neige, à cent mètres de là. La récupérer et la rechausser est une aimable plaisanterie.

Je n'ai, ce faisant, pas perdu Bergeron des yeux. D'ailleurs, j'ai *illico* pigé la manœuvre. Au lieu de foncer sur Courchevel, il fonce vers le remonte-pente de Pralong. Il y arrive avec une éternité d'avance sur le gars moi-même. Des gens font queue, mais il bouscule tout le monde et s'empare d'autorité d'une canne.

J'ignore ce qu'il a dit au préposé, mais ça a l'air de bien se passer pour sa pomme. La canne l'arrache et le voilà qui remonte la pente comme une mouche sur une bouteille de lait.

A moi de jouer!

J'arrive. Des skieurs qui comprennent mon intention veulent s'interposer. Ils brament avec un ensemble touchant « A la queue », paroles et musique de Nairedebeu. Mais moi, San-Antonio, vous me connaissez? D'un coup d'épaule, je propulse dans la neige un vieux chnock du Jockey-Club qui fait du ski comme on joue au bridge chez la baronne de Vatfaire-Voyre. Le milord paume son dentier Renaissance dans la neige et attend la fonte de printemps pour le récupérer, tandis que San-Antonio est happé par le treuil.

Je me détranche pour apercevoir Bergeron. Il se trouve à cinq ou six pèlerins de moi. C'est pas terrible. Pendant l'ascension, je reprends mon souffle et mes esprits. De toute façon, le type est râpé. Seulement je n'aime pas ces actes désespérés. C'est bon pour les vrais trafiquants de son acabit, ça finit toujours clochement.

Parvenu au sommet du tire-fesses, Bergeron s'élance à nouveau. Il coupe en direction de Belle-Côte. C'est un pédaleur d'élite.

Il fait pas l'œuf, comme l'équipe de France, mais il a du rendement. Lorsque je décroche à mon tour, ça n'est plus qu'un minuscule point noir. Alors je change de développement. Mes bâtons piochent la neige comme un pic-vert pioche un tronc d'arbre. Je prends la pente en schuss. Tant pis pour la casse. J'ai pas l'intention de me laisser repasser par ce tordu.

Selon mon estimation, je dois lui prendre quelques mètres, mais c'est tout car il se défonce aussi.

Au sommet de Belle-Côte, il ne s'arrête pas et pique en direction du Verdon. Si au moins il pouvait ramasser un à-plat! Mais je t'en fiche. Môssieur rendrait des pions à Léo Lacroix. Hardi, San-Antonio! Je voudrais avoir un moteur à réaction dans le fignedé.

Il rame à toute vibure sur la Saulire. Son but : me prendre suffisamment d'avance pour sauter dans le téléphérique avant moi. Il atteint le bâtiment et disparaît à l'intérieur.

J'y parviens à mon tour et je me hâte de déchausser.

C'est alors que sa ruse diabolique m'est révélée. Bergeron s'est seulement planqué derrière le bâtiment. Il voulait seulement m'amener à déchausser. Lui, il a toujours ses lattes aux pieds et il fait sous mon nez un second démarrage foudroyant. Là, je l'avoue, je pousse un juron qui ferait rougir un homard thermidor. Deux fois blousé en quelques minutes, c'est un peu beaucoup pour l'homme que je suis.

Tandis que je rechausse aussi vite que me le permettent mes paluches glacées, une voix familière m'interpelle.

— Eh, Tonio!

Je lève la tête, car la voix tombe des cieux, comme celles des saints qui ordonnaient à Joan of Arc d'aller chercher du suif aux *English.*

Béru s'amène dans le télé-benne du verdon.

Il va pour débarquer sur la plate-forme, mais mes mains fébriles n'arrivent pas à faire sauter la chaîne de sécurité. Lorsque c'est fait, sa brioche se trouve coincée dans l'étroite nacelle de fer. La benne, malgré les efforts du préposé à la réception des passagers, dépasse la plate-forme et décrit un 180°.

— N... de D...! trépigne le Gros, lequel s'exprime parfois en pointillé, ça fait deux fois que je rate la descente!

Tout ceci s'est déroulé très vite et je suis déjà en piste.

— Lance-moi ton pétard! hurlé-je à mon éminent camarade de combat.

Il obtempère, sort sa seringue et la balance dans ma direction. Mal lui en prend. L'arme arrive droit sur le bonnet d'une grosse dame qui essaie de descendre le Verdon en chasse-neige. La personne en question pousse un cri chétif et s'écroule dans l'immensité blanche.

Je ne perds pas mon temps à chercher l'arme. Il s'agit de récupérer Bergeron par tous les moyens.

Le Gros me crie, de loin :

— J'en ai marre de ces paniers, je vais essayer de prendre le tire-côte de Belle-Fesse.

Le vent des cimes emporte ses paroles.

D'un regard, j'évalue la situation. Le fuyard a au moins cinq cents mètres d'avance sur mézigue. Seulement, dans sa hâte, il a emprunté la partie la moins en pente du Verdon.

Je calcule qu'en obliquant sur la droite, j'aurais plus de déclivité et, de ce fait, je pourrais m'offrir un schuss plus décisif.

Le calcul est bon. Et comme il est bon j'en reprends!

Je m'aperçois, avec joie, que la distance faiblit entre nous. D'autant plus qu'il arrive sur une grande partie presque plate. Avec le bénéfice de mon élan, je peux tout espérer. Je rame, je rame à toute volée, comme le huit barré d'Oxford lorsqu'il parvient à remonter celui de Cambridge.

Bergeron a la notion du danger. Il se retourne et me voit fondre sur lui, tel un vautour sur un lapin de garenne. Il sait qu'il ne peut plus m'avoir. Alors il me braque avec le pétard.

Ah! mes amis : il y a de sacrés sales moments dans la vie. Je me vois déjà mort dans la neige. Avouez que ça fait tartouse de grimper à deux mille cinq pour se faire plomber.

Pourtant, je continue de foncer. En m'approchant, je fais quelques zigzags pour le dérouter. Va-t-il tirer? Oui! Quand je vous disais que c'était le genre de tordu qui pouvait avoir des réactions désespérées.

Se voyant perdu, il perd la boussole, Bergeron. Une balle arrive à mes oreilles en miaulant dans l'air glacé. Une autre se pique dans la neige à deux centimètres de mes skis.

Heureusement que le froid lui engourdit les doigts, sinon il m'a l'air de viser correctement, le boursier.

Je continue de piquer sur lui. Je le vois, brusquement énorme comme une montagne. Le revolver est tourné vers ma poitrine, un petit filet de fumage s'échappe du canon. C'est peut-être ici que le Barbu va tirer un trait au-dessous de mon compte, les gars?

Un léger saut de côté. La balle arrache le sommet de mon serre-tête. Cette fois, il n'a plus le temps de tirer. De toute ma vitesse, de tout mon poids, de toute ma volonté tendue, je le percute. Il me semble que je viens de rentrer dans un mur. Des étincelles pétillent autour de moi et j'entends les cloches de Notre-Dame carillonner. Je suis assis dans la neige. Je regarde et j'aperçois Bergeron à mes pieds. L'impact l'a envoyé valser à cinq mètres. Il est tombé sur un rocher et les fixations d'or qu'il charriait sur sa poitrine lui ont enfoncé la cage thoracique.

Je m'approche de lui. Monsieur est en piteux état. Vous ne donneriez pas trois francs anciens de sa peau, vu qu'elle ne les vaut plus.

Il halète lamentablement, comme un poisson retiré de son aquarium.

— C'est malin, lui dis-je. Vous êtes chouette maintenant.

Il remue les lèvres pour parler. Il parle. Mais c'est faible, ça paraît provenir d'une autre planète.

— C'était pour elle...

Je pige. Dans ces circonstances-là, on est en état de réceptivité. Pour elle! Je revois la belle, la jeune, l'élégante, la luxueuse Mme Bergeron. Oui, à cette belle panthère il fallait un pognon monstre.

— Comment fonctionnait votre trafic d'or?

— Suisse-France. Des skieurs suisses faisaient des excursions jusqu'à Chamonix avec des skis dont les fixations étaient en or. Une fois à Chamonix ils prenaient d'autres skis pour rentrer et on m'adressait les leurs ici. Je récupérais les fixations, brûlais les skis, et emportais l'or à l'atelier de Paris.

— Très ingénieux...

Des gens arrivent.

— Un blessé? demandent-ils.

— Oui, dis-je, prévenez les secouristes.

Je me tourne vers Bergeron. Il s'agit de faire vite, car ça m'étonnerait qu'il tienne le coup encore longtemps. Son regard a un vacillement qui ne trompe pas.

— Et Boilevent? Hein?

— Il a marché un certain temps, puis il n'a plus voulu. Il avait peur... La bande de Paris l'a alors menacé de mort. Il n'est pas allé à la police pour m'épargner le scandale. Il m'était reconnaissant de ce que j'avais fait pour lui à ses débuts...

— Et alors, pour échapper à la bande, il a eu l'idée de se faire mettre en prison?

— Oui. J'ai compris après, à cause de la lettre...

— La lettre que la p... lui a écrite?

— Ah! vous savez?

— Je sais. Où était-elle?

— Je l'ignorais. J'en ai parlé à la bande après la visite du souteneur, j'avais peur que vous ne la trouviez et que ça ne vous mette la puce à l'oreille...

— Et alors?

— Ils l'ont trouvée. Il paraît qu'elle était chez notre secrétaire. Danièle était la maîtresse de Boilevent...

— Et ils l'ont tuée pour la faire taire.

— Tuée?

— Ils ne vous l'ont pas dit?

— Nor, j'ai reçu un coup de téléphone

d'eux juste avant de partir pour la gare. Ils me disaient que tout était en règle...

— Tu parles. Qui sont ces gens?

— Des trafiquants internationaux qui ont leur P.C. dans le quartier de la Bourse. Je les ai connus dans un bar... Il y a un Turc, un Suédois, un Suisse...

— L'O.N.U. en petit, quoi! Leurs noms?

— Yalmar, Bretty, Fescal. Je ne sais pas si c'est leur véritable identité...

— Et leur P.C.?

— Le « Consul Bar »... derrière... la... Bourse...

Il est exténué. Un peu de sang mousse aux commissures de ses lèvres.

— Ça va, ne parlez plus, dis-je.

— Je suis foutu, ajoute-t-il.

Je ne trouve rien à lui répondre. Car c'est ma conviction intime. Il rouvre les yeux. Il doit me voir à travers un brouillard.

— Le scandale...

Sa main se lève péniblement, tâtonne à vide pour me saisir.

— Jurez-moi. Vous irez lui dire... Lui dire... Lui dire...

Il n'a plus la force. La main retombe dans la neige, y dessine son empreinte.

Je vois arriver deux skieurs entièrement

vêtus de rouge avec un traîneau garni de peaux de mouton.

Ce sont les secouristes. Je constate alors qu'il y a plein de monde autour de moi. Ces gens sont muets, le revolver que Bergeron serre dans sa main crispée les affole. Je dois dire que dans cette ambiance pure et joyeuse, il revêt un aspect particulièrement sinistre.

Je le récupère et le glisse dans ma poche.

— Ne vous affolez pas, leur dis-je, je suis de la police...

Je pose la main sur la poitrine de Bergeron, Ça bat encore sous le capiton de l'anorak, mais c'est faiblard.

— Maniez-le avec précaution, recommandé-je. Rendez-vous chez le toubib.

Je fourre les fixations en or sous mon bras et je fonce sur Courchevel.

En arrivant chez le toubib, avec une confortable avance sur le cortège des secouristes, je perçois de grands cris.

— Un accouchement? je demande à la mignonne infirmière qui m'a réceptionné.

— Non, murmure-t-elle. C'est un monsieur qui s'est fracturé le coccyx en sautant du télébenne.

Poussé par un pressentiment, je demande la permission de pénétrer dans l'élégant local où le toubib fonctionne.

Le spectacle est d'une sauvage beauté, d'une puissance encore jamais atteinte, d'une grandeur qui donne le vertige et d'une qualité inoubliable.

Le gros Béru est vautré à plat bide sur la table d'auscultation du docteur. Son immense, son généreux, son exaltant, son noir dargif s'épanouit dans la pièce comme un lever de lune sur le Bosphore. Penché sur ce séant malséant, le médecin palpe le bas de l'arête avec circonspection tandis que le Mahousse brame sa souffrance à qui veut l'entendre.

— Eh bien, bonhomme! fais-je en m'approchant. Ça se casse donc, un derrière de gros flic?

Je tombe bien. Il m'accueille avec des poèmes de sa composition, le Gravos.

— Avec tes combines à la mords-moi le neutre, j'ai failli me tuer. Ça faisait deux tours que je faisais dans ce télé-chose de mes bennes sans pouvoir descendre. A la fin, j'ai voulu en sortir. Seulement, j'ai mal calculé mon élan et je suis tombé sur le dargeot. Ah! misère! Qu'est-ce que je vais devenir?

— Pendant un certain temps, tu ne t'assiéras plus, Gros. Et quand tu seras sur le point de flancher, on te jouera *la Marseillaise* pour consolider ta position verticale. Songe que Victor Hugo écrivait debout!

Il me dit ce qu'il pense de Victor Hugo et je me réjouis *in petto* que le grand poète barbu soit mort, car si les paroles du gars Béru lui étaient venues aux oreilles, il se fût sûrement filé un bastos dans le chignon.

Au moment où je quitte le cabinet du doc, les secouristes radinent.

— Comment est-il? demandé-je anxieux.

— Il est plus, fait piteusement l'un d'eux avec un bel accent savoyard qui claque comment le vent pur de sa Saulire.

Pensif, je rentre à l'hôtel afin de téléphoner au Vieux. Il faut penser aux habitués internationaux du « Consul Bar ».

CHAPITRE XII

Mea culpa

Un zig qui renaude sauvagement, c'est le pauvre Alfredo que j'ai laissé moisir au mitard privé. Il est vert de rage, et c'est une couleur qui n'est pas engageante pour un maquereau.

— Je veux un avocat! hurle-t-il. J'y ai droit! Cette détention est arbitraire!

Je le calme d'une phrase.

— Mets-y une sourdine, Alfredo, tu es libre!

Du coup il se tait.

Ses yeux papillotent comme le clignotant d'une bagnole.

— Libre?

— Ben oui. Et tu vois, bonhomme, je vais même pousser le luxe jusqu'à te faire des excuses.

Croyez-moi ou allez vous faire déguiser en pompe à essence, mais je suis sincère. Notre Alfredo montmartois est blanc comme la neige que ses petits camarades bradent aux camés de Paname.

Il n'a pas tué sa fille. Il n'a pas menti au sujet de Boilevent.

Je fais sauter dans ma paluche le bouton manquant à son lardeuss.

— Tu as perdu ce bouton, Alfredo, ça fait idiot, mais c'est à cause de ce détail que tu portais le bada.

— Vous autres, roussins, vous lisez trop de romans policiers, ronchonne le truand.

— Où l'as-tu perdu, tu t'en souviens?

J'ai ma petite idée là-dessus, et sa réponse ne fait que la confirmer.

— Dans ma bagnole, dit-il. Il s'est coincé dans le volant et ça l'a arraché.

— O.K., fils.

Je lui tends la main.

— Sans rancune, j'espère. Si un jour t'es ennuyé, viens me trouver, j'essaierai de te revaloir ça.

Il est un peu ému. Il me confie sa fine main aristocratique et nous échangeons un *shake-hand* vigoureux.

— Vous me bottez, dit-il, dommage que vous soyez un matuche.

— Tu me bottes aussi, dommage que tu sois une fripouille.

On rit et on se quitte bons copains.

Mon vieux camarade Pâquerette va beaucoup mieux. Ses bandages qui le faisaient 1000 av. J.-C. ont été remplacés par un large sparadrap. Lorsque je rapplique à son chevet, il est béat, car une gente infirmière vient de lui placer un suppositoire à réaction et lui a promis une piqûre de je-ne-sais-pas-quoi pour très bientôt.

— Et alors? me fait-il, guilleret. Je me morfondais, commissaire. Quoi de neuf?

— Des tas de trucs, ma vieille. *Primo,* alors qu'on ne s'attendait pas à cela, on a mis la main sur une dangereuse bande de trafiquants d'or...

— Pas possible?

— Comme je vous le dis.

— Et *secundo?*

Je lui souris.

— *Secundo,* on a découvert l'identité du fameux sadique.

— Non ? Enfin !

— Oui, enfin !

Je re-ris.

— Pas étonnant que les filles aient conti-
nué de se laisser embarquer par le monstre,
malgré les avis diffusés par la presse.

— Ah ! oui ?

— Le sadique est un inspecteur, Pâquerette, vous vous rendez compte ?

Il ouvre de grands yeux.

— Vous plaisantez ?

— Pas du tout. Il lui suffisait de montrer
sa carte à la victime qu'il avait choisie et de
lui dire « Suivez-moi ». La môme désignée
ne pouvait guère refuser...

Je reprends :

— Et savez-vous comment j'ai démasqué
le coupable ?

Il ne répond pas.

— Un minuscule détail. Mais que je vous
raconte ça. Ça va vous passer le temps.
L'inspecteur dont je vous parle était chargé
de surveiller une catin endormie que j'avais
placée au Bois dans la voiture de son jules.

« Lorsqu'il a été seul, dans la nuit, près de
cette fille, son instinct bestial a pris le
dessus. Cette force irrésistible qui le poussait
à tuer s'est emparée de lui. C'est un malade.

Alors il est allé étrangler la fille. Puis, son feu meurtrier éteint, il a compris qu'il venait de signer sa condamnation. Comment expliquerait-il le meurtre, lui qui était chargé de surveiller la fille? Une seule solution : feindre un attentat. Il s'est lacéré les mains. Croyant prouver une lutte avec son pseudo-agresseur, il a ramassé un bouton qui se trouvait dans l'auto afin de faire croire ensuite qu'il l'avait arraché aux vêtements du meurtrier. Et alors, cet être maladif, ce faible, a eu le courage sadique de se blesser en se frappant de toutes ses forces la face contre le montant de la portière. Après quoi il s'est traîné dans les taillis proches et a attendu. Génial! Ensuite, il a donné un signalement du souteneur de la fille, qu'il connaissait, ayant passé des années à la Mondaine. Il l'a fait assez vague pour pouvoir revenir sur ses dires au cas où le souteneur en question aurait un alibi. Tout aurait bien marché sans le bouton. Comprenez, mon vieux Pâquerette, Alfredo a un alibi. Et c'est le bouton de son pardessus que l'inspecteur serrait dans sa main.

« Conclusion, l'inspecteur mentait. Il ne pouvait avoir arraché le bouton. »

Un long silence.

Pâquerette fixe le plafond blanc où s'amorce une lézarde. A quoi rêve-t-il, le doux camarade?

— Ce type est un refoulé. Il vit seul depuis toujours. Chose paradoxale, il a vécu, chaste, au milieu des filles les plus dévergondées. Un jour il a craqué. Loyalement, sentant où son penchant l'entraînait, il a demandé sa mutation afin de lutter contre cette obsession morbide. Mais rien n'y a fait. Il s'est laissé aller. Une seconde fois, il a eu l'occasion de se reprendre : lorsqu'il a abattu Boilevent. Mais il était trop tard. L'homme était perdu.

Je sors de ma poche un petit paquet.

— La dernière fois que je suis venu vous voir ici, je vous ai promis en m'en allant de vous apporter quelque chose lors de ma prochaine visite.

Je dépose le petit paquet sur sa table de nuit.

— Voici... C'est de la part du Vieux. Dedans, il y a une capsule. On la met dans sa bouche, on la croque d'un coup de dent, et en une seconde toutes les misères du monde disparaissent.

Je soupire.

— Le Vieux n'aime pas le scandale. Et je

pense loyalement qu'il a raison en l'occur-
rence.

Je tends la main à Pâquerette.

— Adieu, inspecteur. Bon courage.

Il laisse couler sur moi un regard mou et
triste.

— Adieu, commissaire.

***

Je passe chez Béru en rentrant à la
maison.

Le Gros est debout à sa fenêtre. Il a un
oreiller attaché au derrière.

— Merci de ta visite, dit-il lugubrement.
Ah! je m'en rappellerai de ce voyage à
Courchevel. J'y vais assis, en seconde classe.
Et j'en reviens en wagon-lit mais debout!

Je lui mets sur l'épaule une main frater-
nelle.

— Allons, ma Grosse, du cran. Qu'est-ce
qui te ferait plaisir?

Il réfléchit, s'arrache un poil du nez et
essuie la larme que cette brutale ablation a
fait perler à ses paupières.

— Une baignoire pleine de crème Chantilly, dit-il enfin. Je voudrais tellement me
reposer!

Achevé d'imprimer en juillet 1989
sur les presses de l'Imprimerie Bussière
à Saint-Amand (Cher)

— N° d'impression : 8503. —
Dépôt légal : août 1989.
Imprimé en France